리더는 태어나는 것이 아니라 만들어진다

"부모가 먼저 스스로 자신을 섬기고, 서로를 섬기고, 자녀를 섬기며, 더 나아가
남을 섬기고 사회를 섬겨야 한다. 덕은 나만의 이익과 요구보다는 남도 같이 생각하면서
공동의 가치를 추구하는 것을 말한다. 덕은 많은 사람들을 이끈다.
그것이 바로 공부를 강요하지 않아도 스스로 공부하는 아이로 만드는 비결이자 사람들에게
사랑과 존경을 받는 리더로 키울 수 있는 길이다. 남을 돕고 베푸는 과정에서
아이 스스로 오히려 힘과 지혜를 얻게 된다. 부모가 먼저 남을 배려하고 봉사한다면
아이는 군이 애쓰지 않아도 바르고 훌륭하게 자라날 것이다."

섬기는 부모가 자녀를 큰사람으로 키운다

섬기는 부모가
자녀를 큰사람으로 키운다

전혜성 지음

랜덤하우스중앙
RANDOM HOUSE JOONGANG

부모가 먼저 섬겨라

'크고자 하거든 먼저 남을 섬겨라'라는 말이 있다.

무엇을 얻기 위해서 무엇을 했다는 목적의식적인 바람에서는 아니었지만, 어느덧 이순(耳順)이 넘는 나이가 되어 지나온 삶을 돌이켜보니 나의 한평생은 바로 이 말과 맥이 닿아 있음을 알게 되었다.

어려서부터 "한 사람의 위대함은 그가 얼마나 많은 사람들에게 도움을 주었는가로 평가된다"는 아버지의 말씀을 깊이 새겨왔던 나는 열아홉 살 때 미국 유학길에 올랐다.

그 후 미국에서 남편을 만나 고학생 부부로 여섯 아이를 낳고 기르는 한편, 나의 학문을 위해 논문을 발표하고 학위를 따는 틈틈이 아르바이트까지 하면서도 언제나 이 말씀을 실천하고자 노력해왔다.

어떻게 보면 여섯 아이들을 통해 아버지의 가르침을 실천할 수 있는 좀더 직접적인 기회를 갖게 되었는지도 모른다.

많은 사람들이 내게 자식 농사를 참으로 잘 지었노라고들 말한다. 특히 교육열이 높은 한국 사람들 사이에서는 남편과 나를 비롯해서 우리 가족 8명이 모두 11개의 박사 학위를 취득한 것을 두고 특별한 자녀 교육 비법이 있지 않나 궁금해한다고 들었다.

이들은 우리 아이들이 모두 미국 아이들도 들어가기 힘들다는 최고 수준의 명문대에서 학위를 받은 뒤 미국에서도 최고 대학에서 학생들을 가르치고 미 국무부 차관보, 매사추세츠주 보건후생부 장관, 하버드 대학

4

공공보건대학원 부학장 등을 역임했다는 사실에 놀라워한다고 한다. 또한 우리 가족이 미국 교육부의 '동양계 미국인 가정교육 연구 대상'이 되었다는 사실에 주목하고 있기도 하다.

많은 이들이 궁금해하는 것처럼 우리 가정에 굳이 특별한 자녀 교육 비법이 있다면, 나는 그것을 '섬기는 사람'이 되고자 했던 우리 부부의 노력에서 찾으려 한다. 우리 부부는 우선 스스로를 섬기고, 서로를 섬기고, 자녀를 섬기며, 더 나아가 남을 섬기고 사회를 섬기고자 했다.

우리 아이들이 어느 대학을 나와 어느 자리에 있다는 것 때문에 사회적으로 평가받는다고 생각하지 않는다. 나는 무엇보다도 우리 아이들이 "사람 구실은 하고 산다"는 소리를 듣게 하고 싶었고, 실제로 아이들은 틀린 것을 옳다 하고 바른 것을 그르다고 하지 않는 됨됨이로 세상을 살고 있다고 자부한다.

아이에 대한 관심과 사랑을 자신과 세상으로 돌려라

이 자리에서 나는 자녀 교육의 비결을 묻는 이들에게 되묻고 싶다.

"자녀 교육의 목적은 무엇인가?"

"아이가 어떤 어른으로 자라기를 바라는가?"

우리 부부는 아이들이 단지 학교 성적이 우수한 수재로만 성장하기를 원하지 않았다. 우리는 아이들에게 끝없이 왜 공부를 해야 하는가, 자신이 하는 공부로 이 사회에 어떻게 봉사할 수 있는가를 묻고 생각하게 했다. 아이들 스스로 타인과 세상에 대해서 좀더 넓은 시야를 가지게 되기를 바랐던 것이다.

그리하여 우리 아이들이 한 사회에 국한되지 않고 인류 사회에 봉사할 수 있는 세계 시민으로 자라나기를 바랐다.

사실 우리 부부는 아이들에게 공부하라는 소리를 그리 하지 않았다. 반면 남편과 내가 아이들에게 입버릇처럼 강조한 덕목이 두 가지 있다.

그 첫 번째가 "재주가 덕을 앞지르면 안 된다"이고, 두 번째는 "더 많은 사람들에게 도움을 줄 수 있는 사람이 되어야 한다"이다.

나는 진정 우리 아이들이 많은 사람들에게 도움이 되는 사람, 그래서 한국에서도 세계에서도 환영받는 사람으로 자라기를 바랐다.

우리 아이들이 오늘에 이른 것은 그들이 가지고 있는 재능이 덕을 앞지르지 않았기에 가능했다고 본다. 덕은 나만의 이익과 요구보다는 남도 같이 생각하면서 공동의 가치를 추구하는 것을 말한다. 덕은 많은 사람들을 이끈다.

나는 그것이 바로 공부를 강요하지 않아도 스스로 공부하는 아이로 만드는 비결이자 사람들에게 사랑과 존경을 받는 리더로 키우는 길이라고 믿는다.

1950년대 초 당시 미국에서 아이를 낳아 키우게 된 나에게는 미국 사회에서 소수민족, 그것도 황인종인 아이들을 키우는 데 도움이 될 만한 어떤 지침이나 가르침도 없었다.

우리 부부는 먼저 소수민족으로 살아가는 한국 아이들이 겪는 문제와 그들의 심정을 알아야 한다고 생각했다. 그리하여 1970년부터 30여 년 동안 코리안 아메리칸 컨퍼런스를 열었고, 이것은 현재 동암문화연구소가 가장 역점을 두고 지원하는 차세대 지도자 양성 프로그램(young professionals retreat)의 모태가 되었다.

미국에서 50년 넘게 자원 봉사로 동암문화연구소를 이끌면서 나는 남의 아이를 잘 키워야 내 아이도 잘 큰다는 사실을 몸소 체험하게 되었다.

우리는 모두 더불어 사는 사회에서 살아가야 한다는 사실을 기억해야 한다. 때문에 진정으로 아이를 위한다면 부모 먼저 내 아이만 잘되면 된다는 식의 이기적인 발상을 버려야 한다.

그리고 아이에게도 나와 남이 모두 잘되는 '공동의 요구와 목표', 즉 공동의 가치를 추구하도록 가르쳐야 한다. 남을 돕는 과정을 통해 자신의 문제가 풀리기도 한다. 흔히 말하는 '네트워크' 또는 '지원(support) 시스템'이 생기는 것인데, 남을 돕고 베푸는 과정에서 아이 자신이 오히려 힘과 지혜를 얻게 되는 것이다.

부모가 먼저 나서서 남을 배려하고 봉사한다면 아이는 굳이 애쓰지 않아도 바르고 훌륭하게 자라날 것이다. 나는 여섯 아이들을 키우면서 이

같은 귀한 경험을 했다.

아이를 위한다며 아침부터 밤늦게까지 아이에게만 관심을 쏟는다고 아이가 잘 자랄 수 있을까? 우리는 아이가 그 사회의 일원이라는 사실을 잊어서는 안 된다.

나는 우리 부모들이 아이에게서 시선을 조금만 거두어 그 일부분을 자기계발은 물론 우리와 더불어 사는 남과 사회를 위해 쓰기를 바란다. 내가 남과 사회를 위해 봉사한 그 과정이 우리 아이들에게 고스란히 열매로 되돌아올 것이다.

리더는 태어나는 것이 아니라 만들어진다

부모로 사는 일은 제2의 인생을 사는 것이나 마찬가지라고 한다. 그렇지만 이 말이 모든 것을 아이에게 맞춰 무조건적으로 희생해야 한다는 의미는 아닐 것이다.

최근 미국이든 한국이든 훌륭한 실력과 이력을 가진 여성들이 육아를 위해 일을 그만두는 경우를 많이 보았다. 아이를 제대로 키울 사회적인 시스템이 마련되지 않은 현실에서 어쩔 수 없는 선택일 테지만, 자신은 잠시 뒤로 접어두고 인생의 한 기간을 온전히 아이를 위해 희생한다는 생각은 참으로 안타깝다.

왜냐하면 아이들이 자랄수록 부모에 대한 아이들의 지적 욕구는 높아지게 마련이고, 향후 그들이 부모 품을 떠났을 때 허무감이 생길 수도 있기에 미리 준비하는 자세가 꼭 필요하기 때문이다.

나는 무조건적인 사랑은 있을지언정 무조건적인 희생에 대해서는 회의적이라고 생각한다.

집에서 아이를 키우건 직장에 나가서 일을 하건 부모가 스스로 선택하는 자신의 인생이 있어야 한다는 말이다. 나는 부모들에게 아이와 부모의 인생 모두가 행복해지는 방법에 대해서 고민하라고 조언하고 싶다.

단언컨대 나는 한 번도 우리 아이들을 위해서 전적으로 나를 희생했다고 생각해본 적이 없다. 우리 아이들에게 나는 자식을 사랑하고 존경받는 어머니였지만, 내 자신의 행복을 모두 포기하면서까지 희생한 어머니는 아니었다.

오히려 나 스스로 삶의 주체로 우뚝 서기 위해 항상 공부하고 봉사해왔다. 그리고 그것이 어머니의 역할과 조화롭도록 항상 노력해왔다.

우리 아이들은 내가 자신들만 바라보지 않고, 나의 분야에서 활동하고 인정받는 사람이 된 것을 더 자랑스러워한다. 우리 부부가 평생 학문에 매진하는 것을 보면서 아이들 또한 자연스럽게 공부를 일상의 한 부분으로 받아들이고, 남과 사회를 위해 봉사하는 삶을 자연스럽게 선택할 수 있었다.

그렇다고 이 말을 엄마들이 슈퍼우먼이 되라는 것으로 오해해선 안 된다. 엄마가 집이 아닌 다른 환경에서도 저렇게 열심히 활동하는구나 하고 생각할 만한 일, 즉 아이에게 역할 모델이 되어 모범을 보일 수 있는 일을 찾으라는 것이다.

무엇보다도 부모가 자기계발을 계속하여 자기 삶을 찾고 사회에서 적절하게 봉사하는 모습을 아이들이 직접 보고 배우게 하는 것이 중요하다. 그럼으로써 부모는 아이에게 롤 모델이 될 수 있다.

봉사하고 섬기는 아이로 키우라는 이야기나, 부모가 역할 모델이 되어 모범을 보이라는 이야기가 오늘날처럼 하루가 다르게 변화하고 자기 할 일 하기에도 빠듯한 시대에는 어쩌면 다소 비현실적인 이야기로 들릴 수도 있다.

혹시 그런 생각을 가지고 있는 부모들이 있다면 한 가지 이야기를 더 보태고 싶다. 시대가 촌각을 다투며 변화하고 있기 때문에 위와 같은 노력이 더 필요하다고 말이다.

그렇기 때문에 아이가 세계의 모든 문화가 한데 얽힌 다문화, 다양성의 시대에 적응하고 나아가 그런 사회를 이끄는 사람으로 자라길 바란다면 더더욱 부모가 열심히 살며 삶의 모범을 보여야 한다. 그리고 나만이 아닌 남도 위할 줄 아는 아이로 키워야 한다.

리더는 태어나는 것이 아니라 만들어진다는 점을 우리 모두 기억하자. 그리고 그 바탕을 만들어주는 사람은 바로 부모다.

나는 이 책에서 부모의 노력에 따라 아이들이 진정한 리더로서 자랄 수 있음을 강조했다. 또한 여섯 아이들을 기르며 얻은 경험과 동암문화 연구소에서 젊은이들을 지도하던 경험을 바탕으로 21세기의 진정한 리더가 갖춰야 할 진정한 리더십(Authentic Leadership)의 7가지 요건을 정리했다.

내가 오센틱 리더십이라는 개념을 처음 소개한 것은 동암문화연구소에서 개최한 2004년 제4회 젊은 전문인 수련회 기조연설에서였다. 그리고 2005년 재외 한국동포재단이 주최한 젊은 지도자들을 위한 국제워크숍에서 이 개념을 발표하였다. 그 젊은이들의 열렬한 반응은 내게 이 개념을 정립하는 동기와 자신감을 충분히 심어주었다.

내 아이에게 딱 맞는 교육법, 부모 자신은 알고 있다

나는 첫 번째 책『엘리트보다는 사람이 되어라』가 나왔을 때 사람들이 보여준 뜨거운 호응을 아직도 잊지 못한다. 주로 외국에서 살았던 나와 내 아이들을 키운 이야기가 한국에서 그 정도로 울림을 일으킬 줄은 몰랐다.

공부를 마치고 돌아가겠다고 했지만 한국전쟁이 나고, 그 뒤에 결혼을 하고서도 돌아갈 수 없었던 곳이 바로 나의 조국 한국이었다. 그런 나에게 한국에서 보여준 호응은 오랫동안 친정에 오지 못했던 딸이 온다는 소식에 친정 식구들이 달려 나와 맞아주는 듯한 환대였다. 나는 많은 사람들의 따뜻한 관심에 매우 큰 고마움을 느꼈다. 이에 그분들의 고마운 관심에 일일이 답을 하는 심정으로 두 번째 책을 쓰게 되었다.

나는 이 책 『섬기는 부모가 자녀를 큰사람으로 키운다 : Authentic Leadership in Multicultural Society』를 통해 지난 책에서 미처 다하지 못했던 이야기들로 조금이나마 도움을 드리고자 한다.

그렇다고 나와 우리 가족의 이야기가 마치 기성복처럼 기능하기를 바란다는 말은 아니다. 어느 가족에게나 특별한 자신들만의 이야기가 있고, 각각의 아이들은 다 저마다 타고난 빛나는 재능이 있듯 부모는 그 아이들에게 맞는 방법을 찾아낼 의무와 책임이 있다.

나는 내 책을 읽는 사람들의 뜨거운 반응 속에 아이를 잘 키우고 싶은 부모의 절실함이 들어 있음을 잘 알고 있다. 이 책에 담긴 나의 경험이 모든 아이들을 기르는 데 다 통할 것이라고 생각하진 않는다. 다만 나의 이야기를 들은 부모들이 자신과 자녀에게 맞는 방법을 찾아내기를 바라는 마음뿐이다.

나는 나의 아이들과 동암문화연구소의 자원 봉사자들, 인턴들을 다문화 사회의 진정한 지도자로 서게끔 돕는 과정을 통해 깨달은 것들을 이 책에서 나누고자 했다. 한편으로는 나와 이전 세대가 겪어야 했던 어려움들을 이 시대의 젊은 어머니 아버지들은 조금이라도 덜 겪게 해주고 싶은 마음이 깔려 있다.

날로 다양해지는 문화와 급속히 전개되는 세계화 속에서 우리의 아이들을 진정한 리더로 키우고자 하는 부모들에게 나의 이 경험이 작은 보탬이 되었으면 한다.

나 또한 이 책에 담긴 내용들을 처음부터 알고 시작한 것은 아니다. 재미교포 2, 3세의 정체성을 50여 년간 고민했던 연구자로서, 급속히 세계화되고 있는 이 시대의 부모로서 많은 시행착오를 거치면서 얻은 결론인 셈이다. 나는 그저 우리 가족의 이야기가 많은 부모들에게 하나의 참고가 되기를 바랄 뿐이다.

세계를 무대로 한 진정한 리더

한민족은 남한만이 아니라 북한 그리고 세계 170여 개 국가에서 거주하고 있다. 대한민국은 세계 12위인 경제 대국이며, 지구상에 흩어진 한민족을 모두 합쳐 생각하면, 세계에서 네 번째로 큰 디아스포라(diaspora)이다. 디아스포라는 조국을 떠나 다른 땅에서 살지만 정신적으로 혹은 실제적으로 모국과 강한 유대감을 가지고 있는 사람들이다.

한국의 역사를 돌이켜보면 중국, 일본, 베트남과의 관계로 인해 한국 사람들이 동아시아 문화를 모두 포용할 수 있는 민족이라고 할 수 있다. 더불어 오늘날 170여 개국에 흩어져 살고 있는 한민족의 특성을 감안할 때 우리는 이미 21세기를 사는 데 필요한 문화적 역량(cultural compe-tence)을 충분히 가진 사람들이라 하겠다.

문화적 역량이란 다문화 사회의 지도자로서 꼭 필요한 능력으로, 한 문화 이상에서 살 수 있는 역량을 말한다. 훌륭한 역사적 전통과 함께 170여 개국에서 지치지 않고 역동적으로 생활하는 한민족은 동아시아 문화뿐 아니라 세계 여러 문화를 포용할 수 있는 능력이 있다고 본다.

그러므로 우리는 자부심과 희망을 가지고 세계를 무대로 한 진정한 리더를 기르는 데 힘을 모아야 한다. 그 과정에서 아무쪼록 여러분의 꿈과 성의가 좋은 결실을 가져오길 간절히 바란다.

무엇보다도 먼저 이 책이 출판되도록 랜덤하우스중앙을 필자에게 소개시켜주신 중앙일보 전 논설위원 홍은희 교수께 감사의 말씀을 드린다. 그리고 랜덤하우스중앙의 송미진 편집장에게 특별히 고마운 마음을 전한다. 그녀는 기획 단계에서부터 마지막까지 프로 정신과 예의를 잃지 않고 글을 쓰는 전 과정을 성의껏 도와주었다. 미국 뉴헤이번에서는 정민회 씨가 열정을 가지고 도와주었고, 이지민 씨는 원고의 최종 수정 작업을 열심히 도왔다.

지금은 고인이 된 나의 남편 고광림 박사와 나의 자녀들과 그 아이들의 배우자, 여러 손주들이 그들의 삶의 이야기를 공유할 수 있도록 해준 것에 대해 감사한 마음 그지없다.

또한 다문화 사회에서의 진정한 리더십에 대하여 글을 쓸 수 있도록 영감을 준 동암문화연구소를 거쳐간 많은 젊은이들과 학생들에게도 감사의 말을 전하고 싶다. 이 외에도 언제나 적극적으로 나를 도와주시고 격려해주신 동암문화연구소의 여러 이사들, 자문위원들, 스태프들 그리고 지면상 일일이 이름을 거명할 수 없지만 나와 동암연구소의 뜻을 소중히 알고 지지해주신 많은 분들께도 진심으로 감사의 말씀을 드린다.

마지막으로 이 책이 나오기까지 수고해주신 랜덤하우스중앙의 임직원 여러분들과 관계자들께 진심으로 감사한 마음을 전한다. 그들의 헌신적이며 마음에서 우러난 도움이 없었다면 이 글은 독자들에게 전달될 수 없었을 것이다. 끝으로 여러 해 동안 적극적으로 동암연구소의 젊은 지도자 모임을 지지해준 젊은이들과 여러 동암연구소 이사들께 다시 한번 감사의 말씀을 드리고 싶다.

2006년 3월 15일 큰아들 생일날
미국 뉴헤이번 템플코트 서재에서
전 혜 성

CONTENTS

PROLOGUE | 부모가 먼저 섬겨라 · 4

CHAPTER 1 | 섬기는 부모에게서 큰사람이 나온다

덕은 사람을 이끈다 · 23

내 아이만을 잘 키운다고 아이가 잘되는가? · 30

남의 아이와 내 아이를 함께 생각해야 하는 이유 · 39

자녀 교육에 정답은 없다 · 47

한국적 가족주의의 힘 · 55

CHAPTER 2 | 아이를 진정한 리더로 키우려면
– 21세기가 요구하는 오센틱 리더로 키우는 7가지 덕목

내 아이에게 꼭 가르쳐야 할 오센틱 리더십의 7가지 요건 · 65

AL 1. 뚜렷한 목적과 열정을 가르쳐라(Purpose & Passion) · 71

AL 2. 맡은 바를 충분히 다할 때 자기완성도 이룬다 · 81
(Role Fulfillment & Self Actualization)

AL 3. 일생에 걸쳐 정체성을 재정립시켜라 · 89
(Know your Diaspora self)

AL 4. 덕이 재주를 앞서야 한다(Virtues over skills) · 99

AL 5. 창의적인 통합력이 아이를 살린다(Creative synchronism) · 105

AL 6. 역사적이고 세계적인 안목과 시야를 길러라 · 111
(Historical & Global worldview)

AL 7. 진실한 마음을 얻는 대인관계의 힘을 경험하게 하라 · 117
(Relationship)

CHAPTER 3 | 자녀 교육은 사이언스가 아니라 아트다

절대, 희생하지 마라 · 127

깨달은 그 순간 시작하자 · 134

존중하는 부부가 부모로도 성공한다 · 138

가장의 권위를 세우자 · 146

아이 스스로 선택하게 하라 · 152

CHAPTER 4 | 자녀를 큰사람으로 키우는 부모의 6가지 지혜

토요일 아침의 가족회의 · 167

아이에게 요구하지 말고 합의하라 · 173

갈등에 대한 예방주사 · 180

아이의 마음을 여는 대화법 · 184

'고 박사네 지하 도서실' · 193

표현하는 아이로 키우는 법 · 200

CHAPTER 5 | 아이와 함께 살아갈 인생의 후배들에게

현명한 어머니들에게 · 209

수레바퀴의 또다른 축인 아버지들에게 · 221

아이를 기다리는 예비 부모들에게 · 230

언젠가 부모가 될 아이들에게 · 238

EPILOGUE | 우리에겐 리더를 키워낼 저력이 있다 · 245

Chapter 1_ 섬기는 부모에게서
큰사람이 나온다

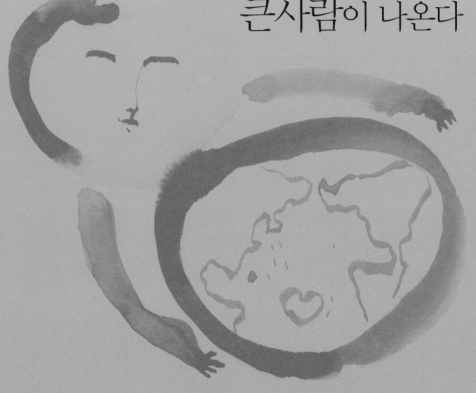

우리 부부는 아이들에게 늘 덕이 재능을 뛰어넘어야 한다는 '덕승재(德勝才)'의 개념을 강조했다. 여기서 덕은 나보다 남을 먼저 생각하고 공동의 이익을 추구하는 것을 말한다. 재주가 뛰어날수록 덕도 그만큼 따라줘야 한다. 재주 이상의 인간미가 보일 때 사람들은 그를 마음으로 믿고 따르게 된다. 주변에 자신을 믿고 따르는 사람이 많아진다면 그는 자연스럽게 리더가 될 수밖에 없다.

덕은 사람을 이끈다

사람들은 내게 자주 이런 말을 한다.

"자제분들을 정말 잘 키우셨어요."

듣기 좋은 소리다. 하지만 우리 아이들이 단지 미국의 일류 대학을 졸업하고 인정받는 직업을 갖고 있어서 하는 소리라고는 생각하지 않는다. 그보다는 아이들 자신의 됨됨이를 인정해주는 것 같아 흐뭇하다.

사람들은 대개 재능을 가진 사람을 부러워한다. 그 재능으로 남보다 손쉽게 성공하는 것처럼 보이기 때문이다. 어떤 이들은 우리 아이들이 오늘의 자리에 이른 것을 오로지 재능 덕분이라고만 본다. 그러나 그것은 섣부른 오해에 지나지 않는다. 우리 아이들이 지금의 모습이 된 것은 재능도 재능이지만, 그 재능이 덕(德)을 앞지르지 않았기 때문이다.

큰딸 경신이는 하버드대를 졸업하고 MIT에서 이학박사 학위를 받은 뒤 중앙대 화학과 교수로 몸담고 있다.

큰아들 경주는 예일대 의대를 졸업하고 매사추세츠주 보건후생부장관을 지낸 뒤 하버드 공공보건대학원(School of pubic health) 부학장으로 일하고 있다.

고등학교를 졸업할 때 미국 대통령상을 받아 많은 이목을 끌었던 둘째 동주. 그 아이는 하버드대에서 학사 학위를 받고 하버드대와 MIT에서 공동으로 의학박사와 철학박사 학위를 받았다.

셋째아들 홍주는 하버드대 졸업 뒤 영국 옥스퍼드로 유학을 갔다 와서 다시 하버드 로스쿨에서 법학박사 학위를 받았다. 그 뒤 한국인 최초로 예일대 법대 석좌교수가 되었고, 지금은 법대학장으로 몸담고 있다. 아마도 한국에서는 클린턴 정부 시절 인권 차관보를 지낸 해럴드 고로 더 잘 알려졌을 것이다.

둘째딸 경은이는 하버드대에서 법학박사 학위를 받고 콜럼비아 법대 부교수를 거쳐 예일대 법대에서 석좌 임상교수로 있다. 예일대에서 남매가 모두 석좌교수 이상이 된 것은 전무후무한 일이라고 한다. 특히 경은이는 유색인종 여성으로는 처음으로 석좌교수가 되어 화제를 뿌리기도 했다.

막내아들 정주는 하버드대 사회학과를 우등으로 졸업하고 보스턴 뮤지엄 미대(Boston Museum of Art)와 뉴욕 비주얼 아트(Visual Arts) 대학에서 미술로 전공을 바꿔서 그 분야 최고 학위인 MFA 학위를 받았다.

아이들의 이력만 보면 일단 재능이 먼저 두드러져 보일 수도 있겠다. 그러나 그들의 재능을 키운 것은 바로 그들의 덕이다. 나는 아이들이 재능보다는 덕 있는 사람으로 자라기를 바랐고 또 그렇게 키우려 노력했다.

처음 엄마가 되었을 때만 해도 나는 아이들이 훌륭한 한국인으로 자라나기를 바랐다. 그러나 미국에서 자라나는 아이들을 보면서 생각을 바꾸었다. 한국인이냐 미국인이냐의 차원을 떠나 인류에 봉사할 훌륭한 세계 시민으로 커나가기를 바랐던 것이다.

그러다보니 자연스럽게 좀더 큰 가치를 고민하게 되었다. 나는 아이들에게도 스스로 그 답을 찾아보도록 했다. 그렇게 찾은 내 답은 의외로 가까운 곳에 있었다. 어렸을 때부터 들었던 어머니 말씀 속에 열쇠가 있었다.

"재주가 덕을 앞지르면 안 된다."

재주도 길러야겠지만, 그보다 덕을 더 많이 갖춘 사람이 되라는 가르침은 지극히 동양적인 교육철학이기도 하다. 한국은 전통적으로 덕 있는 사람을 더 높게 인정해주는 문화였다. 그래서 비록 재주가 없어도 덕이 높으면 사람들도 그의 훌륭한 됨됨이를 인정하고 따랐다. 반대로 재주만 있고 덕이 없는 사람은 존경할 수 없다고 생각했다.

어머님의 가르침처럼 나는 우리 아이들이 세계적인 엘리트가 되기에 앞서 됨됨이가 제대로 된 훌륭한 인간이 되기를 바랐다. 남편 역시 나와 같은 생각이었기에 우리는 아이들에게 일관된 가치를 강조할 수 있었다. 우리 아이들이 사람을 귀하게 여기고, 그 자신도 사람들에게 사랑받는 지도자가 되기를 원했기 때문이다.

재주가 뛰어나다고 쉽게 지도자가 될 수 있는 것은 아니다. 오히려 더 어렵다. 재능은 넘치는데 덕이 모자란 경우를 너무도 많이 보았다. 그도 그럴 것이 재주가 뛰어난 아이들은 대개 주변 어른들의 기대 어린 눈빛과 박수를 너무 많이 받아온 탓에 재능만 믿고 다른 사람을 무시하거나 얕보기 쉽다. 그런 아이들이 그대로 어른이 된 모습을 상상해보라. 이 때문에 아무리 재능이 뛰어나도 사람들의 사랑과 존경을 받는 지도자가 되기 힘든 것이다.

우리 부부는 아이들에게 늘 덕이 재능을 뛰어넘어야 한다는 '덕승재(德勝才)'의 개념을 강조했다. 여기서 덕은 나보다 남을 먼저 생각하고 공동의 이익을 추구하는 것을 말한다. 그렇다고 이 말이 재주가 필요 없다는 뜻은 아니다.

당연히 재주는 꼭 필요하다. 그러나 그것만으로는 부족하며 때에 따라서는 오히려 독이 되니 조심하라는 것이다. 재주가 뛰어날수록 덕도 그만큼 따라줘야 한다. 재주 이상의 인간미가 보일 때 사람들은 그를 마음으로 믿고 따르게 된다. 주변에 자신을 믿고 따르는 사람이 많아진다면 그는 자연스럽게 리더가 될 수밖에 없다.

만약에 재능이 남다르더라도 '저 사람은 재주를 이용해 자기 이익만 꾀할 인물'이라는 식의 평가를 받는다면 그 사람은 결코 리더가 될 수 없다.

다시 한 번 강조하지만 사람들이 진심으로 믿고 따르는 리더가 되려면 재능뿐만 아니라 덕이 있어야 한다. 재주가 덕을 앞서게 하면 그 아이가 자라서 과연 이 사회에 무슨 도움을 줄 수 있을 것인가? 우리는 저마다 이 사회의 일원으로 산다는 것을 기억해야 한다.

재주보다는 덕이 앞서는 아이

재능은 그것을 가진 사람 하나에서 멈출 수 있지만, 덕이 있으면 그 재주로 남까지 이롭게 할 수 있다. 덕은 사람들을 감화시켜 더 노력하게 하고 더 많은 재능을 발휘하도록 동기를 부여한다. 내 손주들도 부모들의 그런 덕에 일찍부터 영향을 받아서일까, 모두 다 알아서 공부하여 원하는 학교에 들어가 자신들의 꿈을 가꾸어가고 있다.

한번은 큰아들 경주의 딸에게서 연락이 왔다. 그 아이는 여름 방학 동안 남미에 가서 가난 때문에 공부할 수 없었던 아이들에게 조금이나마 도움을 주겠다고 했다. 다음 해 여름에는 쓰나미 피해자들을 위한 구호 활동에 참가해서 집 짓는 일을 하겠다고 말했다.

그때 당시 예일대 1학년이던 셋째아들의 딸은 기금을 모은다며 나에게 도와달라고 했다.

"할머니, 제가 에이즈 기금을 모으고 있어요. 기부 좀 부탁드려요."

그때 몹시 바빴던 나는 은행 업무를 볼 짬도 내기 어려워 이렇게 대답했다.

"그래, 될 수 있으면 마감 기한 안에 보내마. 그런데 너무 바빠서 어떻게 될지 잘 모르겠다."

그러나 말은 그렇게 했지만, 손녀의 첫 부탁인데 실수하면 안 될 것 같아 다음 날 바로 돈을 보냈다.

그리고 얼마 지나지 않아 우연히 친구와 함께 길을 가던 손녀와 마주쳤다. 그 아이는 들뜬 목소리로 이렇게 말했다.

"할머니, 저 에이즈 기금으로 4만 불을 모았어요."

예일대 1학년생이 4만 불이나 모으다니 놀랄 수밖에 없었다. 옆에 있던 친구의 말로는 그 모금 행사를 처음 기획한 사람이 바로 나의 손녀딸이라고 했다. 그저 모임의 일원인 줄만 알았던 손녀딸이 리더십을 발휘해서 기금을 모았다는 사실에 나는 더욱 자랑스러웠다.

덕은 재능보다도 더 멋진 감동을 주는 법이다. 지금도 나는 손주들이

다른 사람을 배려하는 일에 나선다는 소식을 들을 때면 그렇게 반가울 수가 없다. 쓰나미 피해자를 위해 모금하는 손주가 있는가 하면, 법률 회사에서 에이즈 환자들의 유언장 작성을 돕는 손주도 있다. 또 가난한 사람들에게 집을 지어주는 해비타트 운동 기금을 마련하려고 자전거로 미국 횡단을 하는 아이도 있고, 유언장을 공식적으로 남길 수 없는 사람들을 위해 사후 법률 처리에 대한 서류 작성을 도와주는 아이도 있다.

그 아이들은 이미 자신이 공부하고 노력하는 것은 모두 자기보다 가난하고 불행한 사람들을 돕기 위해서란 사실을 깨닫고 있다. 일단 비전이 섰으니 아이들은 그 일을 해내는 데 필요한 재능과 체력을 키우려고 노력한다. 그 아이들의 부모인 나의 6남매가 그랬듯이 말이다.

이것이 나의 아이들이 사람들에게 인정받는 리더가 된 배경이기도 하다. 요컨대 일부러 리더가 되자고 노력해서가 아니라 자신의 재능을 자신만이 아닌 남을 돕는 데 쓰려고 마음먹고 실천하는 과정에서 자연스럽게 이루어진 일인 것이다.

나는 사람들이 남다른 자녀 교육 비결을 기대하며 물을 때, 비결 아닌 비결을 들려준다.

"재주보다는 덕이 앞서는 아이로 키워라."

아이를 둔 부모라면 이 '덕승재'의 개념을 꼭 새겨두기 바란다. 그것이 바로 공부를 강요하지 않아도 스스로 공부하는 아이로 만드는 비결이자, 사람들에게 사랑과 존경을 받는 리더로 키울 수 있는 길이다.

옛날 선비들은 공부를 많이 할수록 덕망을 겸하게 되어 있었다. 배우면서 생각하고 생각하며 배우다보니, 지식이 단순한 정보 덩어리가 아니라 지혜로 쌓인 것이다.

그런데 요즘은 좋은 전통은 잊고 반대쪽으로만 가고 있는 것 같아 안타깝다. 예전에는 공부를 많이 해서 아는 게 많아지면 덕망도 따라 쌓이는 교육을 강조했다면, 요즘은 공부를 시키는 궁극적 목표는 잊고 재주만 키워 호의호식하자는 욕심이 앞서는 것 같아서 말이다.

엘리트로 인정받을 만큼 화려한 이력과 재능을 가졌으면서도 제대로 인간 구실을 못 하는 사람들이 많아지는 것도 그래서가 아닐까?

이제는 달라져야 한다. 엘리트가 되려면 우선 사람이 되어야 된다. 재주가 있을수록 덕망이 더 앞서게 해야 한다. 그래야 사람들이 진심으로 믿고 따르는 진정한 리더가 될 수 있다.

내 아이만을 잘 키운다고
아이가 잘되는가?

뚜렷한 목적 없이 아이에게 이것저것 강요하는 부모들이 있는 것 같다.

아이가 어떤 부분에 재능이 있는지, 무엇을 좋아하는지, 무엇을 하면 잘할 수 있을지 고민도 없이, 그저 남보다 뭔가를 잘하면 좋겠다는 막연한 생각에 아이를 혹사시킨다. 그때그때 남들이 좋다는 것을 아이에게 시키거나, 남보다 뒤처지는 느낌 때문에 쫓기듯 아이를 내몰기도 한다.

한국에서 세계적으로 훌륭한 골프 선수가 나왔으니 내 아이도 그렇게 만들고 싶어 골프를 가르치고, 영화배우가 좋아 보이면 연기 학원에 보내는 식이다. 그런 부모들은 유명한 사람들이 그 길을 찾기까지 쏟았던 고민, 노력과 좌절, 교훈 등은 외면하고 부와 명예라는 결과에만 현혹된 것은 아닐까.

말로는 아이의 행복을 위해서라고 하는데, 정말 그렇다면 부모가 좀더 고민해야 한다. 아이가 그것을 이루기 위해서 앞으로 얼마나 노력해야 하는지, 즐길 만한 노력인지, 혹시 실패하게 된다면 아이의 인생은 어떻게 될 것인지 구체적으로 생각해야 한다. 공부하라고 말할 때에도 부모의 고민은 깊어야 한다.

한국에서는 아이들이 대학에 들어갈 때까지는 다른 아이들과 경쟁하느라 열심히 공부한다. 그런데 많은 아이들이 막상 대학에 들어가서는 갑자기 공부를 놓아버리고 방황한다. 공부해야 하는 이유를 스스로 찾지 못했기 때문이다. 결국 주체할 수 없는 열정을 공부가 아닌 다른 곳에 쓰며 방황을 계속한다. 그런 대학 생활을 보낸 아이는 부모가 원했던 성공이나 행복과는 전혀 다른 길을 걸을 수도 있다.

'공부를 열심히 하면 무엇인가 되겠지'라는 막연한 생각도 버려야 한다. 우리가 주변에서 흔히 보듯이 성공이란 맹목적인 공부만 했던 사람들의 몫이 아니기 때문이다. 그러한 경향은 아이들 세대에 가면 더욱 분명해질 것이다. 자신의 길을 찾아 열정을 다해도 성공할까 말까인데 자신이 어떤 길을 가고 싶은지, 왜 공부해야 하는지도 모르는 상태에서 어떻게 성공과 행복을 꿈꿀 수 있을까?

부모가 먼저 왜, 무엇을 위해 공부해야 할지 분명한 주관이 서 있어야 한다. 부모 스스로 가치관과 목적을 세워놓지 않으면 아이에게 혼란만 주고 목표에 이르기도 전에 아이나 부모 모두 지쳐버리고 만다.

따라서 부모 스스로 자녀 교육의 목적을 확실히 해야만 한다. 이 말은 의사니 변호사니 하는 직업을 목적으로 삼으라는 것이 아니다. 교육은 단순히 직업을 선택하는 문제를 떠나 좀더 큰 목적을 지향해야 한다.

내 경우에는 아이들을 가슴이 따뜻한 사람으로 키우고 싶었다. 그랬던

만큼 우리 집에서는 우리 부부를 비롯해서 아이들이 공부하는 이유가 따뜻한 가슴을 키우기 위해서였다. 그런 과정에서 종교를 통한 교육이 중요하다고 느꼈다. 우리 가족은 자원 봉사를 하게 되었고, 그 속에서 아이들은 자연스럽게 감동을 얻었다. 아이들은 그런 보람을 더 많이 느끼기 위해서 공부가 필요하다는 것을 체험했다.

내가 동암문화연구소(East Rock Institute)를 시작하게 된 것도 따지고 보면 한국 엄마 특유의 교육열 때문이었다. 학자로서의 사명감도 있었지만 아이를 잘 키우고 싶은 엄마로서의 절심함이 없었다면 그토록 힘든 자원 봉사를 50년 넘게 계속할 엄두를 못 냈을 것이다.

유학은 왔지만 나는 미국에서 살 생각은 전혀 없었다. 그러나 결혼하고 곧이어 임신까지 하게 되자 수많은 생각이 머리를 어지럽혔다.

임신을 알고 당황했던 심정이 아직도 생생하다. 우리 부부가 살던 곳은 아직도 채 적응했다고 할 수 없는 미국 땅이었다. 거기서 한국인의 아이를 제대로 키울 수 있을지 자신 없었다. 1950년대 미국은 시민운동이 아직 제대로 자리잡지 않아 소수민족에 대한 인식이 아주 미약한 상태였다.

나는 어떻게 하면 좋은 엄마가 될 수 있을까 하는 고민에 제대로 잠도 못 이룰 정도였다.

나는 서점으로 달려갔다. 내 고민을 해결해줄 육아책이 있을지도 모른다는 생각에서였다. 그러나 서점을 샅샅이 뒤져도 미국에서 한국 아이를 키우는, 즉 다인종이 모여 사는 사회에서 소수민족 아이를 기르는 법을 다룬 책은 없었다. 나는 대학 도서관을 생각해냈다.

"그래, 하버드대 도서관이라면 내가 찾는 육아서가 있을 거야."

그러나 그곳 역시 이중 문화 속의 자녀 교육 책은 없었다. 도서관을 나오면서 나는 이런 생각을 했다.

'이 문제에 대답해줄 사람은 아무도 없구나. 하지만 이것을 핑계로 포기할 순 없어. 나는 이 문제의 답을 찾아야 할 책임이 있어. 우리 아이들을 미국에서 자라게 한 것은 부모인 우리 부부의 선택이지 아이들의 선택이 아니니까. 우리 아이가 미국 사회에서 동양인으로 그리고 한국인으로 잘 자라서 행복할 수 있게 할 책임은 바로 부모인 내게 있는 거야.'

임신 말기가 되자 나도 모르게 아이 엄마들을 유심히 살펴보게 되었다. 아이와 엄마가 서로를 대하는 태도가 어떻게 다른지 관찰하고 싶었던 것이다. 그 중에서도 내 눈길을 오래 붙잡는 사람들은 당시 보스턴에서는 보기 드물었던 동양인 엄마들이었다. 그러나 시선이 오래 머무는 만큼 고민하는 시간도 길어졌다.

특히 아들 셋이 있는 어느 동양인 가족은 내게 위기감마저 안겨주었다. 아이들은 인사성은 물론 아이다운 활발함도 없었다. 늘 우울한 표정으로 사람을 대했다. 동양인이 드문 환경에서 자란 탓인 듯했다. 하지만 그렇게 위로한다 해도 어머니의 책임이 사라지는 것은 아니었다.

동암문화연구소를 만든 이유

나는 아버지를 떠올렸다. 아버지는 여성을 무시하던 사회적 분위기와는 상관없이 나를 장남처럼 당당히 키우신 분이었다. 아버지에게도 여성을 차별하던 당시의 분위기는 어찌할 수 없는 막막한 것이었을지도 모른다. 그런데도 아버지는 내가 여성이라는 틀을 벗어나 넓고 크게 생각할 수 있도록 끊임없이 격려하고 스스로 모범을 보이며 이끌어주셨다. 나역시 환경만 탓할 수는 없었다. 어쨌든 나는 미국 사회에서 아이를 기를 준비를 해야 했다.

미국 사회에서 나와 나의 아이들은 소수민족, 그 중에서도 황인종에 속했다. 그렇게 태어난 아이들이 미국 사회에서 어떤 일에 부딪히게 될지, 어떤 고생을 하게 될지 전혀 짐작할 수 없었다. 그것에 관한 책도 없었고 물어볼 사람도 없었다.

우리 부부는 소수민족으로 살아가는 한국 아이들의 마음을 알아야 한다고 생각했다. 그리하여 1970년부터 코리안 아메리칸 컨퍼런스를 열었다. 이민 2세 대학생들에게 자신들의 마음을 털어놓게 하였고, 전문가로 자리잡은 이민 1세들도 오게 했다. 우리는 각기 주제에 대한 강연을 한 뒤 소그룹으로 긴밀한 대화를 나누도록 했다. 이것이 바로 여느 컨퍼런스와 다른 점이었다.

거기에서 우리는 많은 것을 배울 수 있었다. 가장 큰 가르침은 아이들의 정체성에 대한 것이었는데, 그것은 전적으로 한국이라는 모국에 달려 있었다.

미국이 한국에 대해서 어떻게 생각하느냐, 미국 사회에서 한국의 이미지가 얼마나 긍정적이냐에 따라 우리 아이들의 정체성이 달라졌다. 한 가족을 넘어선 한 사회의 문제가 아이들의 정체성과 긴밀한 관계를 갖는다는 사실은 사회학과 인류학을 공부한 나에게도 커다란 깨달음이었다.

또한 이민 1세대보다 인권과 평등을 강조하는 미국 사회 안에서 자라난 2세들이 더 실생활에서 편견과 차별을 당할 때 타격이 크다는 것을 알게 되었다.

동암문화연구소를 처음 시작할 때만 해도 미국에게 우리 한국은 부정적인 이미지로만 자리잡고 있었다. 한국 전쟁과 경제 원조, 거기에 1970

년대 박동선 뇌물 사건이 더해져 한국은 뇌물이 흔한 나라라는 인식이 지배적이었다. 언뜻 보기에는 단순한 사회적 문제였지만, 우리 아이들의 생활에 아주 큰 영향을 미치고 있었다.

한번은 유치원에 다니는 어느 한국계 아이가 선생님에게 크리스마스 선물을 건네자, "너, 한국 아이 아니냐?"고 묻더니 한국 아이의 선물은 못 받겠다고 했다는 것이다. 충격받은 아이는 울면서 집으로 돌아갔다고 한다.

물론 미국이라는 사회의 특수성으로 이야기할 수도 있고 그 교사의 자질을 문제삼을 수도 있다. 하지만 미국 사회가 보는 한국인 이미지가 한국계 아이에게 감정적 타격을 주었다는 것만은 부정할 수 없는 사실이다.

여러 사이비 종교 문제가 불거져 나올 때는 한국이 종교적으로 좀 이상한 나라라며 미국에 살고 있는 한국인들을 모두 색안경을 끼고 바라보기도 했다.

그러다 삼성의 가전제품, 현대의 자동차가 미국 시장에서 인기를 얻고, 1988년 서울올림픽 개최지로 이름을 알리면서 한국의 이미지가 높아졌다. 하지만 채 4년도 안 되어 1992년 LA 폭동이 일어났을 때는 한국 사람들은 돈만 알고 인종 차별이 심하다며 미움을 받기도 했다.

미국에 사는 한국인 개개인이 미국인에게 잘못해서 부정적인 평가를 받는 게 아니다. 이민 2세 아이들은 자신과는 먼 나라였던 부모님 나라에 대한 평가가 고스란히 자신들에게로 연결되는 데 억울해했다. 그것은 곧 그 아이들의 정체성에도 큰 영향을 미쳤다.

정체성의 위기는 자신이 생각하는 나와 자신에 대한 남들의 기대나 처우가 달랐을 때 주로 온다. 내가 학생들을 가르치고 우리 아이들을 키우면서 경험한 바에 따르면, 정체성의 위기는 한 사람의 과거와 현재, 미래를 연결짓기 어려울 때 찾아들었다.

재능이 뛰어난 아이도 정체성의 혼란 때문에 방황과 절망의 구렁텅이로 빠지는 것을 보았다. 그때 나는 한국 자체의 위신을 올리지 않고는 우리 한인 2세들이 대접을 못 받겠다는 생각을 했다.

이것은 비단 아이들에게뿐만 아니라 한국 외교와 무역 등 모든 면에 큰 영향을 주는 일이었다.

또한 내 집 울타리 안에서 우리 아이만 잘 기른다고 사회에서 성공할 수 있는 것은 아니라는 깨달음이기도 했다.

한 아이는 독립적인 한 사람으로 평가받기 전에 자신이 속한 사회의 이미지를 고스란히 물려받고 있었다.

한국의 이미지가 좋지 않은 때에 아이들은 후진국에 부도덕한 국민성을 가지고 있다는 편견과 맞서 싸워야 했다. 실패자가 대부분인 한국인 사회의 일원이라는 이미지가 지배적일 때에는 개인으로 아무리 뛰어나도 리더가 될 수 없었다. 아무리 부모가 정성으로 키운 아이라 해도 그것을 인정해주는 이가 없었던 것이다.

이러한 정체성 문제는 사춘기에만 중요한 것이 아니다. 일생을 두고 자신의 삶에 자긍심을 가질 수 있어야 한다. 흔히 중년의 위기라거나 은퇴 후 생기는 우울증 등은 모두 다 이러한 정체성 문제다.

미국과 한국은 다르다고 생각하는 부모도 있을 수 있다. 자기 아이들만 잘 교육시켜서 잘 살면 된다고 생각하는 사람도 있을 것이다. 그러나 글로벌 시대에 한국 사람에 대한 근본적인 인식 수준과 태도를 바꾸지 않으면 아이들은 리더로서 성공하기 힘들다.

우리 부부가 동암문화연구소를 만든 일차적인 이유는 한국의 이미지를 개선시키기 위해서였다. 그렇게 해서 아이들에게 긍정적인 정체성을 심어주고 싶었고, 나아가 미국에서의 한국 이미지를 높이고 싶었다. 그 연구소를 통해 우리 아이들은 많은 가르침을 얻었다. 그곳을 거쳐간 많은 아이들이 최고의 인재로 자라나 미국 사회 주류에서 한국을 알리고 있다.

만일 자녀가 세계를 무대로 활약하기를 바란다면, 부모는 아이가 가지고 있는 '나'를 좀더 넓은 세계로 연장시켜주어야 한다.

세계적인 인재는 영어나 외국 사정에 환하다고 되는 것이 아니다. 남의 것을 보기 전에 자신이 누구인지부터 잘 볼 수 있어야 한다. 자신의 정체성이 확고해야 빠르게 변화하는 사회에서 리더가 되고 국제무대에 나가서도 살아남는다는 말이다.

남이 나에게 "너는 어떤 사람이냐?"고 물을 때, 사람들은 자신의 가족이나 집안에 대해 말한다. 좀더 이야기할 시간이 있다면 자신의 학교나 회사에 대해 말한다. 즉, 나를 규정하는 것이 나라는 단 한 사람이라면 누구인지 물어볼 필요도 없는 것이다. 마찬가지로 세계에 나섰을 때 같은 질문을 받는다면 어떻게 대답해야 할지 생각해보자.

우리 막내가 동암문화연구소가 주최한 모임에서 이런 질문을 받은 적이 있다.

"너는 50%가 한국인이며 50%가 미국인이냐? 혹은 40% 한국인이며 60% 미국인이냐?"

이 말에 아들은 서슴지 않고 이렇게 대답했다.

"나는 100% 크리스천이다."

나는 우리 막내가 자신을 긍정적으로 정의 내릴 수 있다는 점이 그 아이를 희망과 안도감 속에 살게 하는 원천이라고 생각한다.

세계인들은 '나'를 통해 개인적인 '나'뿐만 아니라 한국인으로서의 '나'에 동양인으로서의 '나'까지 물어보는 것이다. 그때 제대로 대답하지 못하는 사람을 누가 신뢰할 수 있을까? '나'에 대해서 모르는 사람은 남에 대해서도 생각하기 어렵고, 나아가 세계에 대해서는 더욱 알 수 없는 것이다.

어디서든 정체성을 확인하지 못한 채 사는 사람은 자신감 없는 유랑민일 뿐이다. 이 사실은 국제무대에서 일하겠다는 포부를 가지고 외국으로 나온 한국 유학생이나 이민 2세들 중 실제로 성공한 사람이 많지 않다는 것만 봐도 알 수 있다. 그들이 갖추어야 할 자질은 외국어 실력이나 지식이 아니라 바로 한국인과 동양인에 대한 제대로 된 역사관과 인식이다.

나의 아이들은 한국에서 나고 자란 것도 아닌데 모두 한국인으로서의 정체성이 남다르다. 그래서 자신들의 공식 직함에도 한국 이름과 미국 이름을 꼭 함께 쓴다.

예를 들어 그냥 '해럴드 고'라고만 쓰면 미국인으로 오해할 수 있다면서 꼭 '해럴드 홍주 고', '하워드 경주 고', '에드워드 동주 고', '리처드 정주 고'라고 쓰는 것이다.

이 모두가 스스로 자기 정체성을 표현하기 위한 노력이다. 그 정체성에 맞게 한국과 미국이 함께 발전하기를 바라는 마음을 품고, 다른 소수민족에 대한 배려도 잊지 않는다. 자신의 정체성에 충실한 삶을 살기 때문에 미국에 사는 한국인은 물론 미국인, 나아가 다른 인종들로부터도 리더로서 인정받을 수 있는 것이다.

남의 아이와 내 아이를
함께 생각해야 하는 이유

　서양 사람에 비해 동양 사람, 그 중에서도 한국인만큼 '우리'라는 개념을 강조하는 사람들도 드물 것이다. 그러나 가만히 들여다보면 그 '우리' 안에는 지극히 개인적인 '나'와 '나의 가족'만이 들어 있는 경우가 많다. 그때 '우리'라는 말은 지극히 배타적인 의미를 갖는다.

　실생활에서도 '우리'를 뺀 나머지 다른 사람들에게는 감정을 베푸는 일에서조차 인색한 경향이 있다. 한 예로 쇼핑센터에서 아이들끼리 놀다가 부딪혀 같이 넘어져도 자기 아이만 일으켜 세워 데리고 가는 식이다.

　그런 부모 밑에 자란 아이가 자신만 아는 아이가 되는 것은 어찌 보면 당연한 일이다.

　단언컨대 그런 아이는 결코 리더가 될 수 없다. 왜냐하면 리더의 첫 번째 덕목은 자신이 아닌 남을 배려할 줄 아는 것이기 때문이다. 다른 사람들에게 인정과 존경을 받을 수 있는 자세는 어느 날 갑자기 배워지는 게 아니다.

어떤 엄마들은 자기 아이가 밖에서 맞고 들어오면 그야말로 이성을 잃는다. 치료비를 물어줄망정 아이에게 "너도 가서 한 대 때리고 오라"고 한다.

아이를 진심으로 위하고 가르치려면, 먼저 왜 싸움이 벌어졌는지 상황부터 파악하여 야단칠 부분과 보듬어줄 부분을 공정하고 합리적으로 판단해야 한다. 그런데 그저 자기 자식이 남에게 맞았다는 사실에만 흥분해서 앞뒤 가리지 않는 것이다.

이때 많은 부모들이 오해하는 게 하나 있다. 자신이 아이의 편을 들지 않으면 아이의 기가 죽는다고 생각하는 것이다.

아이는 자신이 저지른 잘못을 대하는 부모의 태도를 보면서 많은 것을 배운다. 그런데 부모가 아이의 잘못에 대해 적절한 가치 판단이나 교정 없이 감정적인 대응만 한다면 어떻게 될까? 아이는 자기 행동을 반성하고 바로잡을 기회를 잃게 된다. 올바른 판단을 배울 기회를 잃고, 사회적으로 인정받는 가치들에 대해서 제대로 된 교육을 받지 못하게 되는 것이다.

사람들이 객관적으로 인정할 만한 덕목을 갖추지 못한 아이가 사회적으로 성공할 가능성은 거의 없다. 자식의 기를 살리는 데만 급급한 부모는 사실 아이에게서 리더가 될 기회를 빼앗고 있는 것이다.

'나'는 오늘의 나를 넘어 어제와 내일을 잇는 연결 고리

부모들은 우선 아이들에게 '나'라는 개념을 '나' 자체로 한정짓지 않는 법을 가르쳐야 한다.

그런데 문제는 많은 부모들이 예전에 비해 개인적이라는 데 있다. 아이와의 관계에서는 그렇지 않지만 부모와 이웃, 사회 속에서 보면 부모 자신의 '나' 개념도 굉장히 협소하다는 것을 알 수 있다.

그러나 '연장된 나', '나를 넘어선 나(beyond-self)', '과거와 미래를 아우르는 나'로 나아감으로써 우리가 부모와 자손의 연결 고리라는 것을 잊지 말아야 한다. 이러한 '나' 개념은 아이를 키우는 데는 물론이고, 그 아이가 행복하고 성공한 인생을 사는 데 필수적인 덕목이다. 그러므로 부모는 먼저 '나' 개념을 넓히고 그 시간적인 의미 또한 연장시킬 필요가 있다.

한 가지 다행이라면, 한국인에게 이 일이 전혀 낯설지 않다는 것이다. 한국인에게 '나'는 현재 살아가고 있는 지금의 '나'만을 의미하지 않는다. '나'는 나를 있게 한 조상의 자손이고 앞으로 태어날 후손의 부모다.

서양에서 생각하는 개인주의적인 나, 즉 직선상의 한 점일 수 없는 것이 바로 한국인이 생각하는 '나'다.

연장선상의 '나'에게는 당연히 책임과 의무도 따른다. 그로 인한 즐거움과 안도감도 많지만, 일단 책임감을 가져야 한다. 왜냐하면 '나'를 연장시키는 순간 조상, 가깝게는 부모님에 대한 생각이 달라지고 '나'의 아이를 넘어 '나'의 후손을 생각하게 된다. 동양적 가치관으로는 '나' 속에 가까운 친지와 이웃 등 내게 소중한 사람들까지 포함된다.

자식의 앞날도 모르는데 후손의 앞날까지 어떻게 생각하느냐고 되물을 수도 있다. 맞다. 손주나 증손주는커녕 내 자식의 10년 뒤도 알 수 없는 것이 부모로서의 '나'다.

그러나 그렇기 때문에 오히려 '나'는 후손의 부모로서 나의 자식과 후손이 살아갈 사회에 대해 생각하지 않을 수 없다. 이것이 바로 부모로서 '나' 개념이 연장되어야 하는 이유이자, 아이들의 '나'를 연장시켜야 하는 이유다. 넓게 볼 줄 아는 아이들에게 배려는 생활이 된다.

남을 돕는 과정에서 아이들은 스스로 성장한다

베푸는 것에 인색한 사람들도 있다. 어리숙한 짓이라며 남에게 베풀려고 하는 아이의 선한 마음조차 막는 부모들도 있다.

이러한 사람들은 내가 아무리 사회가 잘되어야 나와 우리 가족이 잘되는 것이라고 말해도 이해하지 못한다. 더 나아가 자신의 아이를 위해서 남의 아이를 키우는 것에도 관심을 기울여야 한다는 내 말에 거부감을 일으킬 수도 있다.

그러나 아이가 더불어 사는 사회에서 살아가야 한다는 사실을 기억한다면 다른 아이를 함께 키워야 내 아이가 잘 자란다는 말의 의미를 이해할 수 있을 것이다.

진정으로 아이를 위한다면 부모 먼저 내 아이만 잘되면 된다는 식의 이기적인 발상을 버려야 한다. 그리고 아이에게도 나와 남이 모두 잘되는 공동선, 즉 공동의 목표와 공동의 가치를 추구하도록 가르쳐야 한다. 남을 도울 때 자신이 갖고 있는 많은 문제가 풀리기도 하는데, 이것을 흔히 네트워크 또는 지원(support) 시스템이라고 한다. 즉, 남을 돕는 과정에서 베푸는 아이 자신이 오히려 힘을 얻게 되는 것이다.

이처럼 남을 배려하고 봉사한 결과가 부모나 아이 자신에게 되돌아오는 경험을 시키자. 그러면 아이는 굳이 애쓰지 않아도 바르고 훌륭하게 자라날 것이다.

사회를 위한 일이라고 해서 무언가 거창한 일을 계획할 필요는 없다. 자신이 할 수 있는 선에서 하는 자원 봉사도 사회를 위한 훌륭한 노력이다.

셋째아들 홍주가 예일대 법대생들과 함께 아이티 난민을 위해 소송을 걸었던 적이 있다. 남을 돕는 일이 결과적으로 스스로에게도 많은 도움이 된다는 점을 알려주는 좋은 예다. 홍주를 비롯하여 당시 정부에 맞서 말 그대로 목숨을 건 투쟁을 벌였던 많은 사람들이 노력 끝에 아이티 난민들을 구해냈다. 이로써 인종 차별을 말끔히 씻는 좋은 계기가 마련되기도 했지만, 그 투쟁에 가담했던 사람들의 앞길에도 좋은 영향을 주었다. 홍주는 그 일을 계기로 미국 사회에 널리 알려져, 이후 클린턴 정부의 인권 차관보로 일할 수 있게 되었다.

다시 강조하지만, 남을 도우면서 가장 도움을 받는 사람은 바로 나 자신이라는 사실을 거듭 입증한 셈이다.

부모가 남을 도우면서 기쁨을 찾고 그 과정을 아이들과 함께한다면 아이들도 자연스럽게 그 뜻의 중요성을 느끼고 변화할 것이다.

아이들이 직접 봉사 활동을 할 때 거둘 수 있는 교육 효과는 상당하다. 남을 돕는 일을 하면서 아이들은 일단 기쁨을 느낀다. 자긍심도 갖게 된다. 그런 뿌듯한 감정을 오래 그리고 자주 느끼려면 정말 보람된 삶을 살아야 한다는 각오도 다지게 된다.

그리고 그런 보람된 삶을 살기 위해서는 더 많이 알아야 한다고 생각하고, 누가 시키지 않아도 공부하게 된다. 이것은 부모의 강요로 공부하거나 자식의 공부를 위해 부모가 희생하는 것과는 확실히 다른 방법이다. 알아서 공부하는 아이로 이끄는 자연스러운 방법이면서 부모와 아이 모두가 행복해질 수 있는 방법이기도 하다.

자원 봉사가 힘들다면 기부도 좋은 방법이다. 유태인들은 으레 12월 말이 되면 가족이 둘러앉아 어떤 단체에 돈을 기부할 것인지 결정하는 것으로 유명하다.

비영리 단체인 동암문화연구소를 50년 넘게 이끌어오면서 느낀 점 가운데 하나는 미국 사람들에 비해 우리 한국 사람들은 봉사가 몸에 배어 있지 않다는 것이었다. 우리 한국의 이미지를 높이고 한국계 아이들을 위한 일을 하는 동암문화연구소 사업에 아무 상관도 없어 보이는 미국인들이 오히려 더 열심이다.

가톨릭 신자들은 기부금을 내거나 자원 봉사 활동을 하면서 교육 자선 사업에 참여하는 것이 습관화되어 있다. 반면 미국 내 한국계 미국인은 70% 이상이 개신교도들인데 가장 기부를 적게 하는 그룹으로 분류된다. 자유와 평등의 혜택은 누리고자 하면서 그것을 사회적으로 가능하게 만드는 봉사와 희생 정신에는 관심이 없다. 그저 이익만 취하고 의무는 아랑곳하지 않는 사람들이라는 소리를 들어도 변명할 여지가 없는 것이다.

만약 기부하기로 결정했다면 그 과정에 아이를 참여시키는 것이 좋다. 이왕이면 기부를 결정하는 단계부터 아이에게 무엇이 좋은 가치인지 자연스럽게 고민하는 기회를 주어도 좋을 것이다. 아이는 그러는 사이에 자신의 사회적 위치와 사회적 책임을 고민하면서 자연스럽게 리더로서의 자질을 배우게 된다.

나의 손주들은 명절 때면 조그만 선물을 골라 할머니인 나에게 선물하곤 한다. 한번은 초등학교 2학년인 손주가 이층으로 된 재미있는 찻잔을 선물했다.

위는 차를 넣어 우려낼 수 있는 뚜껑이 달린 주전자이고, 아래쪽은 찻

잔으로 이루어진 것이었다. 너무 고맙고 대견하여 어디에서 이런 선물을 구했느냐고 물었다.

아이는 할머니가 늘 차를 즐기시는 것 같아 학교 바자회에서 이 찻잔을 샀다고 했다. 아무리 어린아이라도 그저 받기만 하고 자란 아이와 어렸을 때부터 남에게 도움 되는 것을 주고자 하는 아이와는 그 그릇의 크기가 다를 것이다. 이처럼 아이라도 선물 속에 상대방이 무엇을 원하는가를 배려하는 마음 씀씀이까지 담을 수 있도록 해야 한다.

조금만 남을 배려하는 마음을 가지면 내 아이만 바라볼 때는 절대로 얻을 수 없는 귀한 것을 얻게 된다. 남은 물론 부모 자신도 기쁨을 누리는 동시에 아이에게 백 마디 말보다 더 효과적인 교육이 된다.

자원 봉사나 기부 같은 공식적인 행동만 효과적인 것은 아니다. 보통 때 부모가 남을 배려하는 행동도 교육적 효과가 크다.

"한 사람의 위대함은 그가 얼마나 많은 사람들에게 도움을 주었는가로 평가된다."

이것은 나의 아버지가 강조한 가르침이자 남편이 아이들에게 늘 강조했던 말이기도 하다. 나 스스로도 이 가르침을 실천하려고 노력했고, 아이들 역시 교훈으로 물려받아 대를 이어 실천하고 있다.

나는 아이들이 단지 공부만 잘하는 아이가 되기를 바라지는 않았다. 인간에 대한 따뜻한 마음을 바탕으로 왜 공부해야 하는지 그 이유를 스스로 찾고, 나중에 어떻게 세상을 위해 봉사할지 생각할 줄 아는 아이들이 되었으면 했다. 그리하여 사람들에게 존경받는 사람으로 만들고 싶었다. 사람을 귀하게 여기고 사람 속에서 사랑받는 지도자로서 말이다. 그리고 나의 아이들은 현재 그런 삶을 살려고 노력하고 있다.

내가 『엘리트보다는 사람이 되어라』를 펴낸 뒤, 이러한 신념을 오히려 일방적으로 이용하려 한 어머니가 있었는가 하면 진정 이 사회를 위해 도움이 되고자 많은 노력을 기울인 어머니도 있었다. 어떤 어머니는 잘 알지도 못하는 나에게 자기 아이를 맡아 지도해 달라고도 했고, 또다른 어머니는 우리 동암문화연구소에서 아이와 함께 봉사하며 후배들을 기르는 데 힘을 쏟기도 했다. 이렇게 다른 두 어머니 가운데 어떤 어머니의 아이가 리더로 자랄 수 있는지는 굳이 말하지 않아도 될 듯하다.

자녀 교육에 정답은 없다

　문제지를 풀다보면 뒤에 나온 답을 먼저 확인하는 경우가 있는데, 어떤 사람들은 늘 그런 방식으로 문제를 풀곤 한다. 이런 사람들은 끝까지 문제와 씨름하는 사람들을 오히려 미련하다고 생각하는지도 모른다. 문제를 풀어서 답을 알거나 해답을 보고 문제를 이해하거나 어차피 아는 것은 똑같다고 생각하는 것이다. 이것이 정말 쉽게 가는 길인가?

　그런데 이런 태도를 갖고 있는 사람도 피해 갈 수 없는 것이 있다. 그것은 자식 키우기라는 문제다. 이 문제에는 정답이 있을 수 없으니 쉽게 가려 해도 그럴 수가 없다. 그래서 부모들은 자식 키우는 것만큼 힘든 일이 없다고 입을 모으는 것이다.

　자녀 교육에 대한 책과 이론은 많다. 그러나 그런 것은 아이를 키우는 데 필요한 참고 자료와 좋은 정보일 뿐, 자신의 아이를 어떻게 키워야 한다는 정답이 될 수는 없다. 좋은 부모가 되려면 우선 현실을 정확히 파악하고 바른 판단을 하고자 최선을 다해야 한다.

"자녀 교육에는 정답이 없다."

문제지에 문제만 잔뜩 있고 정답은 없다니 좌절을 느낄 수밖에 없을 것이다. 그러나 그것이 현실이다.

나는 자녀 교육이란 과학이 아니라 '아트(art)'와 같다고 표현하고 싶다. 자녀 교육의 문제들은 '1+1=2' 식으로 떨어지는 게 아니다. 원칙이 있는 것도 아니다. 누가 'A+B=C'가 원칙이라고 주장한다고 해서 믿고 따라갈 수 있는 성질의 것도 아니다.

확고한 하나의 정답, 누구에게나 적용되는 정답이 없다는 것은 그만큼 부모의 역할이 중요하다는 말이 된다. 부모는 자녀에게 관심을 기울이되 그 아이의 적성, 아이가 살고 있는 환경, 이 사회에서 요구되는 덕목 등을 먼저 찾아야 한다. 한편으로는 대화를 통해 아이들의 삶과 촘촘히 연결되어 있어야 한다.

부모의 자질이라는 것이 있을까? 나처럼 부모에게서 부모의 역할을 배운 사람이 있을 수도 있지만, 좋은 부모를 가진 사람들이 100% 좋은 부모가 된다는 법도 없다. 시대가 워낙 빠르게 변화하다보니 내가 자랄 때는 좋은 교육 방법이었지만 지금 시점에 맞지 않는다거나, 큰아이를 기를 때는 도움이 되었지만 막내를 키울 때는 그렇지 않은 점 등이 너무 많았다.

좋은 부모가 된다는 것도 인생의 모든 부분이 그렇듯 관심과 노력을 갖고 시행착오를 거듭해야 가능해진다. 나는 스스로 신념을 가질 수 있는 부모의 역할을 찾았다. 부모 스스로 계속 배우고 성장하면서 아이들도 가르치고 성장시키는 것, 그것이 올바른 부모상이며 부모의 역할이라고 생각한다. 나도 실제로 아이들을 그렇게 키우려 노력했다. 사실 부모의 동기가 순수하다면 아이들은 야단을 맞아도 그리 섭섭하게 생각하지 않는다.

나에게도 답안지는 없었다. 다만 아이들 각자의 장단점을 찾아내어 어미로서 아이들 삶이 균형을 이루도록 격려하고 보호하며 지도편달해주고자 노력했을 뿐이다. 그리고 이 모든 과정에서 하나님의 도움이 꼭 필요하다고 느낀다.

나머지는 다 방법적인 부분이었을 뿐 핵심은 이렇게 자식과 함께하는 마음이었다. 이런 마음은 자식을 두고 있는 다른 많은 부모들에게도 공통된 것이리라.

물론 마음만으로 해결되는 문제는 없다. 어려울수록 대책을 세우고 실천하도록 노력해야 한다. 그 힘을 주는 것이 바로 부모의 마음이며 사랑이다. 부모가 이런 마음을 실어주면 아이들도 어렵다고 선뜻 포기하지 못한다.

고정관념과 강박관념 버리기

자녀 교육은 그때그때의 상황에 많은 영향을 받는다. 똑같은 방법이라도 환경이나 아이 성질에 따라 효과가 있을 수도 있고 역효과가 날 수도 있다. 좋은 이야기라도 적절한 시기를 잡아서 해야 하는 것도 바로 그 때문이다.

처음 아이들이 초등학교에 입학했을 때, 나는 와이셔츠에 정장 바지를 입혀서 보냈다. 내심 미국 아이들 틈에서 한국인이라고 기죽을까봐 걱정

되어서이기도 했고, 깨끗하고 품위 있게 입혀야 한다는 생각에서이기도 했다. 그런데 아이들 옷차림이 그렇다보니 운동할 때 자유롭게 뛰어놀지 못했다. 옷이라는 것은 특히 상황이나 목적에 맞추는 것이 중요한데, 그때 나는 아이를 단정하고 만만하게 보이지 않게 만들 생각만 했지 정작 옷 입는 아이의 편의는 고려하지 않았던 것이다.

상황을 제대로 보지 못한 실수를 고치는 데 나도 많은 시간이 걸렸다. 사실 한국식 단정함은 미국처럼 진취성과 창조성을 높이 평가하는 사회에서는 그다지 어울리지 않았다.

급격하게 변하는 다문화 속에서 자녀 교육의 정답이라고 여긴 고정관념을 버린 순간, 나는 아이들을 보다 더 자유롭게 키울 수 있었다. 나는 언제나 아이들의 잠재성을 찾아서 키워주고자 애썼다.

세상의 많은 부모들에게도 아이는 '이렇게 해야 한다', '저렇게 해야 한다'는 고정관념을 버리라고 말하고 싶다. 그런 고정관념에 따라 아이를 특정한 방향으로 몰아가야만 올바로 큰다는 강박관념도 접어두자.

다시 한 번 말하지만, 자녀 교육에 정답은 없다. 상황에 따라 다르고, 아이마다 다르다. 그것을 늘 생각해야 한다. 다만 어떤 선택을 할 때 '왜 이렇게 해야 하나?'라는 목적만큼은 명확히 해야 한다. 자녀가 어떤 사람이 되기를 바라는지가 분명하다면 자녀 교육의 방법을 찾기도 한결 쉬워진다.

나는 여섯 아이를 그 아이들의 특성에 따라 제각기 다른 방법으로 키웠다. 같은 배 안에서 나온 아이들이라고 해도 아이마다 상황마다 모든 것이 달랐기 때문이다. 마취과 전문의인 내 둘째아들은 TV 인터뷰를 할 때도 수술복을 입은 채 나온다. 큰아들이 넥타이에 와이셔츠 차림으로 인터뷰하는 것과는 대조적이다. 장성한 지금도 이렇게 다른 모습이니 그 아이들이 자라면서 얼마나 달랐을지는 상상에 맡긴다.

엄마 입장에서는 당연히 큰아들처럼 깔끔하고 격식을 갖춰 입는 것이 좋아 보인다. 아이들을 키울 때는 그렇게 하라고 잔소리하기도 했다. 그러나 어느 순간 그것을 아이의 개성으로 받아들였다. 만약 내가 둘째아이한테 예의를 갖춰서 옷 입으라고 계속 잔소리했다면 서로 감정만 상했을지도 모른다. 머리가 비상하고 연구심이 강한 둘째아이가 사실 옷 입는 문제에 신경 쓸 여유가 있겠는가.

각자의 가치관과 취향을 인정해주는 것이 아이의 자긍심을 심어주는 데 더 중요하다고 생각했다. 만약 내가 한국적 단정함만 고집하여 아이의 자유로운 연구 활동에 지장을 주게 된다면 당장 내 고집을 꺾는 게 당연하지 않겠는가.

취향은 어릴 적부터 나타나고 형제자매라 해도 제각각이다. 부모는 그 모두를 장점으로 보는 이해심이 필요하다. 아이들은 자신의 환경에 맞춰서 스스로가 알아서 그것을 선택하는 것이다.

아끼는 자식이라고 해서 부모가 그 아이의 생활에 시시콜콜 간섭할 권리가 있는 것은 아니다. 아이는 부모의 소유물이 아니다. 부모의 연장도 아니다.

그 누구보다도 아끼는 자식이므로 더욱더 그 아이의 개성을 인정해주어야 한다. 부모가 아이를 인정하지 않으면 그 누가 선뜻 아이를 인정해주겠는가.

자녀 교육에 정답이 없다고 해서 부모 마음대로 길러도 좋다는 말은 아니다. 정해진 정답이 없으니 아이에게 맞는 답을 찾기 위해서 더욱 노력해야 한다. 아이가 갈 길을 찾는 데도 정해진 지도가 있는 것이 아니므로, 부모가 아이 옆에서 나침반이 되고 바람막이가 되지 않으면 안 된다.

부모로 사는 인생

부모로 사는 일은 제2의 인생을 사는 것이나 마찬가지라고 한다. 그만큼 부모가 되면 새롭게 알아야 할 것과 해야 될 것도 많다는 뜻이리라. 나 역시 아이를 낳아 기르면서 제2의 인생을 사는 것이라는 생각을 많이 했다.

다른 부모들은 제2의 인생을 어떻게 꾸려가고 있는가? 아이 낳기 전에 계획했던 대로 살고 있는가? 결혼했는데도 배우자는 아랑곳없이 독신처럼 산다면 문제이듯이, 자식이 있는데도 자기 자신이나 부부 관계만 생각하며 사는 것 역시 큰 문제를 낳는다.

그렇다고 모든 것을 아이에게 맞춰 무조건적으로 희생하는 것이 옳을까? 그것은 아니라고 본다. 무조건적인 희생은 쓸데없는 집착과 허무감만 낳을 뿐이다.

최근의 추세를 보면 한국이든 미국이든 교육 잘 받고 훌륭한 경력을 쌓은 여성들이 육아를 위해 일을 그만두는 경우가 많다. 물론 아이를 제대로 키울 수 있는 사회적인 시스템이 마련되지 않아서가 주된 원인일 것이다. 그리하여 많은 여성들이 자신의 자아실현과 성장, 성취보다는 아이를 중심에 놓고 아이의 성공과 행복을 위해 스스로 희생하는 삶을 살고 있다.

문제는 바로 여기에 있다.

자신은 잠시 뒤로 접어두고 인생의 한 기간을 온전히 아이를 위해 희생한다는 생각은 아이를 위해서나 엄마를 위해서나 참으로 위험하다.

부모로서 아이에게 잘해주고 싶은 마음 자체가 잘못은 아니다. 그러나 절실한 마음만으로는 아이를 제대로 키울 수 없다는 데 문제가 있다. 진정 아이의 성공과 행복을 원한다면 그 목적에 맞게 아이를 대할 줄 알아야 한다. 아이가 자라는 세상이 어떻게 돌아갈지도 알아야 한다. 무조건적 사랑은 있을지언정 무조건적 희생은 있을 수 없다는 말이다.

아이를 위한다며 무조건적인 희생을 하거나 자신이 원하는 방식을 아이에게 강요하면 부모와 아이 모두 불행해질 수밖에 없다. 이제는 부모의 삶과 아이의 삶 모두가 행복해지는 방법에 대해 고민해야 한다.

나는 남들이 말하는 것처럼 모두 내가 자랑스러워하는 6남매를 자식으로 두고 있다. 그렇지만 아이들을 위해서 내 행복을 희생했다고 생각해본 적은 없다. 우리 아이들이 나의 회갑 기념집(1992년 출판, 고경주 편집)에 쓴 글에서도 그런 모습은 엿볼 수 없었다.

아이들에게 나는 자식들을 사랑하는 어머니였고 존경받는 어머니였다. 결코 나 자신의 행복을 포기하면서까지 자식에게 희생한 어머니는 아니었다.

오히려 아이들은 내가 삶의 주체로서 우뚝 서기 위해 공부하고 사회활동을 한 부분에서 더욱 자랑스러워하며 좋은 영향을 받았다. 우리 6남매뿐만 아니라 다른 이민 가족이나 유학생의 경우를 봐도 부모가 삶의 주체로 당당히 사는 모습이 좋은 역할 모델이 되어 아이의 성공과 행복을 만드는 듯하다.

아이들만 바라본다고 해서 그것이 꼭 아이를 위한 것이 아닐 수도 있다. 아이들에게 부담만 주기 쉽다. 아니면 아이가 부모에게 너무 의지하게 되어 조금만 잘못되어도 부모 탓을 할 수도 있다. 그러다보면 부모 마음은 원래 그게 아니었어도 아이를 성공이나 행복에서 멀어지게 하는 결과를 빚을 수 있다.

엄마가 자기 일을 가지면 몸은 힘들어도 스스로 마음의 여유를 갖게 된다. 아이들도 자신만 바라보는 엄마보다 그런 여유로운 엄마를 더 편하게 느낀다. 그렇게 어머니는 어머니대로 성장하면서 아이도 만족하는 결과를 얻을 수 있다.

이것을 슈퍼우먼이 되라는 말로 오해해선 안 된다.

나의 경우에는 학자의 길을 걷기 위해 유학을 갔기에 계속 공부해서 그에 맞는 사회적 활동을 한 것뿐이다. 꼭 나처럼 학문을 하거나 직장을 가져야만 사회 활동을 할 수 있는 것은 아니다.

예를 들어 자원 봉사도 훌륭한 사회 활동이 될 수 있다. 아이에게 '우리 엄마가 집이 아닌 다른 환경에서도 저렇게 열심히 활동하는구나' 하고 생각할 만한 일, 즉 모범을 보일 수 있는 것이면 뭐든 된다.

무엇보다도 부모가 자기계발을 계속하여 자기 삶을 찾고 사회에서 적절히 활동하는 모습을 아이들이 직접 보고 배우는 게 중요하다.

한국적 가족주의의 힘

미국인들은 우리 아이들이 인터뷰 때마다 매번 오늘에 이르게 한 원동력으로 한국적 가족의 가치관을 꼽는 데 신기해한다. 한국에서는 일부러 미국에 유학을 시키기도 하는데, 미국에서 태어나 미국 교육을 받은 사람이 한국식 교육에서 뿌리를 찾는 게 놀랍다는 것이다.

그래서 많은 사람들이 우리 가정에서 특별한 성공의 비법을 찾고자 한다. 특히 미국에 사는 한국 부모들의 관심은 좀더 특별하다.

그러나 나는 한국인들에게는 우리 집의 비결 아닌 비결이 전혀 특별하지 않을 것이라고 말해준다. 우리 부부는 한국 부모님에게 배운 것을 서구식 문화와 비교 연구하여 아이들에게 적용했을 뿐이다.

서양식의 사회 봉사 정신을 강조하셨던 나의 아버지는 남녀 차별이란 의식 자체가 없던 분이다. 딸이 태어났다고 낙담하는 집안 어른들께 아들 못지않게 키우겠다고 호언장담하실 정도였다. 그 어려운 시기에 스무 살도 안 된 딸자식을 먼 미국까지 유학 보낸 것만 봐도 아버지가 나에게 어떤 기대를 품으셨는지 짐작하고도 남음이 있다.

이에 비해 남편의 집안은 특유의 유교 사상이 강했다. 남편 스스로도 원래 양반 유배지였던 제주도 출신의 전형적인 선비 집안 사람이라는 의식이 있었다. 양반이 많이 모인 제주도에서도 대대로 선생님 노릇을 했고, 그 13대 조상 문경공이 왕의 스승이었다는 자부심 또한 굉장했다. 이런 남편에게는 어려운 생활 속에서도 여러 가치들에 대한 신념이 깊게 내면화되어 있었다.

예를 들어 장남이었던 남편은 고학생 시절에도 부모님을 못 모시는 죄송스러움을 대신하여 은행에서 빌려서라도 부모님에게 다달이 송금했다. 나중에 알게 되었지만, 우리 시아버님은 아무 말씀 없이 그 돈을 차곡차곡 모아놓으셨다가 당신 돈까지 보태어 아들 이름으로 땅을 사놓으셨다고 한다. 나는 이 아름다운 부자 간의 사랑을 생각할 때마다 유교적 가족주의의 정수(精髓)를 배운 듯하다.

남편이 어릴 적부터 배웠던 유교적 가치는 자연스럽게 아이들에게도 스며들었다. 그러니 우리 부부 사이의 아이들은 서구적인 교육과 한국적인 교육 세례를 두루 받으며 자랄 수밖에 없었다.

물론 늘 모든 것이 순조로웠던 것은 아니다. 다행히 나는 조선 시대를 연구하는 역사사회학자로서 유교적 사회를 너무나 잘 알고 있었다. 남편 역시 유학 생활을 통해 서구적 가치의 장점을 받아들이고 있었다. 덕분에 잘못하면 극단적인 갈등을 일으킬 수도 있는 가치관이 조화를 이루어 아이들에게 일관된 모습을 보여줄 수 있었다.

미국에서 교육받는 아이들, 특히 이민 2세들은 한국식이라고 하면 대부분 불합리하고 타당하지 못하다고 생각하는 경향이 강했다. 자신의 부모들이 가진 유교적 가치관이 권위주의적이며 보수적이라고 생각하는 것이다. 나는 이민 2세 아이들이 한국식을 거부하는 데는 그만한 이유가 있다고 본다. 이를테면 부모들이 진정한 한국적 가치의 장점을 삶으로써 보여주지 못했거나, 오늘날 서구 사회에서 흔히 그렇듯이 개인의 인권을 존중하지 않았거나 하는 식으로 말이다. 그도 저도 아니면 조리 있는 말로 아이들을 이해시키지 못했기 때문은 아닐까.

진정한 한국적 가치관은 가족 안에서 안정을 느끼게 하며, 자긍심을 북돋아주는 원동력이 된다. 나아가 자기 정체성을 갖고 어떤 어려움이 닥쳐도 당당하게 맞서 이겨낼 수 있는 리더로서의 자질을 심어준다.

동암문화연구소에서 주력했던 2세 교육 사업은 바로 이 한국적 가치관에 대한 비교문화적 이해였다. 그 효과와 폐단까지 지적하는 활동을 통해 궁극적인 자부심 회복이 목적이었다.

우리는 이를 위해 꾸준히 세미나, 컨퍼런스, 저널 출판, 인터넷 사이트 개발, 중·고교 교사 훈련 등 연구와 교육 사업을 거듭해왔다. 지난 50여 년 동안 동암문화연구소의 자원 봉사 활동을 통해 한국 아이들은 자신의 부모를 이해하게 되었다. 그리고 자신의 정체성에 자존감을 부여할 수 있는 기회도 갖게 되었다.

나의 아버지는 한국의 부모들이 아이들에게 자립심을 길러주는 대신 무조건 아이를 돕다가 결과적으로 힘만 들게 하는 것을 몹시 못마땅해하셨다. 그렇다고 전통적인 효의 가치를 무시하신 것은 아니었다. 아버지는 극진한 효자셨다. 효와 같은 전통은 살리고 폐단이 될 만한 것은 없애려 많은 노력을 하셨다. 그러한 가르침을 본받아 평생 나의 좌표로 삼을 수 있었으니 부모님을 존경하지 않을 수 없다.

초등학교 3학년 때 아버지는 나를 황해도의 할아버지 댁에 심부름 보내셨다. 장난꾸러기 남동생 둘까지 대동하게 하고 말이다. 우리는 여름 방학 때 서울에서 황해도 평산 할아버지 댁, 서흥 삼촌 댁, 남천 큰아버지 댁, 사리원 외갓집까지 꽤 먼 길을 아이들끼리만 여행했다. 지금도 가깝지는 않지만, 대중교통 수단이 없던 그 시절에는 오죽했겠는가. 그러나 그 나이에도 나는 할아버지 댁과 큰아버지 댁을 실수 없이 다녀왔고, 그 경험으로 인해 많은 자신감을 얻게 되었다.

사실 자녀 교육을 바로 하자는 이야기에 앞서 우리 전통의 장단점부터 새롭게 발견해야 한다.

그런데 왜 이런 발견이 안 되는 것일까?

그것은 전통적 가치라고 하면 일단 낡았다고 불신하기 때문이다. 그렇다고 그런 부모들이 서구에서 강조하는 자립심과 독립심을 키워주는 것도 아니다. 부모에게 원칙과 가치관, 주관이 없다면 어떻게 아이를 잘 가르칠 수 있겠는가.

그런 부모의 가르침은 일관성이 부족하여 아이들에게 혼란만 안겨준다. 공연히 아이들이 따르기 힘든 지시만 내놓기 쉽다.

스무 살 전후에 아이 혼자 자기 인생을 개척해야 한다. 부모가 아이들에게 많은 영향을 줄 수 있는 시간은 그리 길지 않다. 아이들이 집을 떠나기 전 부모는 최선을 다하고 그 뒤에는 그들의 판단에 맡기자. 배우자 선택이건 전공 선택이건 간에 말이다. 언제까지나 부모가 함께 해줄 수는 없다.

따라서 자녀를 아버지, 어머니 없이는 홀로 서지 못하는 사람으로 키워선 안 된다. 전통적 가치든 서구적 가치든 혼자 스스로 판단하고 행동할 수 있도록 해주는 게 부모가 할 일이 아닐까.

자식들에게 너무 기대가 크면 오히려 섭섭해질 때가 많다. 자식들에게 처음부터 대접이나 공경을 받을 생각을 하지 않는 편이 낫다. 내리사랑은 있어도 치사랑은 어렵다는 말도 있지 않은가.

서구의 교육 역시 마찬가지다. 그저 겉멋으로 미국식 교육을 외칠 것이 아니라 실제적으로 아이에게 독립심과 자립심을 길러주어야 한다.

자녀 교육은 학교에서 학생들을 가르치는 것과는 또 다르다. 그보다는 가정이라는 울타리 안에서 그 집안 분위기에 맞게 자연스럽게 이루어지는 것이기 때문이다. 또한 부모에게서 자식으로 향하는 일방통행 교육이어선 안 된다. 부모 자식 간에 서로 배움을 주고받고 시행착오도 겪으며 사랑 속에 이루어져야 한다.

'Asian 효도심'이 지도자를 만든다

2004년 3월 17일자 《아시안 위크(Asian Week)》지에 '블랙먼 판사의 회갑집 출판'이라는 제목 아래 다음과 같은 기사가 실렸다. 이 기사로 이 글의 결론을 대신하고자 한다.

해리 블랙먼(Harry Blackmun) 전 대법관이 세상을 떠난 지 5년 만에 그의 생애와 법 해석을 담은 자료가 미 국회도서관에 공개되었다. 이 자료는 문서뿐 아니라 영상 자료까지 포함한다. 그것을 작성한 역사가는 예일대학교 법대학장 고홍주 교수다.

59

고홍주 현 예일 법대학장은 1981~1982년 블랙먼의 보좌관을 거쳐 예일대 교수가 된 후 블랙먼 대법원 판사의 역사관으로 선정되었다.

　　고홍주 현 예일 법대학장은 그를 인터뷰하여 필름에 담겠다고 대법원에 요청했다가 거절당한 뒤, 블랙먼 판사가 은퇴하고 난 1994~1995년 예일 법대에 모시고 30시간 동안 인터뷰하여 비디오에 녹화하였다. 이 같은 영상 자료는 미국 대법원에서 전무후무한 것이다. 블랙먼 판사가 어떻게 원칙적이고 인정 있으며 총명한 판례를 낼 수 있었는가를 기록한 것으로서, 그가 죽은 지 5년 만에 발표된 것이다. 미국 대법원에 대한 내용 자체가 법조계 사람은 물론 일반인에게도 대단한 관심사인데도, 그때까지는 대법원에 대한 기록이 많지 않아 어떻게 운영되는지 짐작하기가 어려웠다. 이 글의 공개로 과거 50년 동안 대법원이 어떻게 움직였는지 엿볼 수 있게 되면서 사람들의 찬사가 쏟아졌다.

　　(중략)

　　고홍주의 형제들은 1980년 아버지의 환갑을 기념하여 책을 냈다. 여기에는 그의 어머니가 환갑 잔치라는 동양의 아름다운 풍속을 미국에 알리려는 뜻도 포함되었다. 처음 아버지의 회갑집을 낼 때는 어머니의 지도가 많이 필요했으나, 1992년 발간한 어머니 전혜성 박사의 환갑집은 오로지 자녀들의 힘만으로 출판되었다.

　　전 대법관 블랙먼의 일생을 기록한 자료가 세상에 공개된다는 것도 환갑을 기억하여 축하하는 동양의 풍속에서 비롯된 것이 아닌가 생각된다. 즉, 이러한 사업을 중요시했다는 것 자체가 부모님의 회갑집을 낸 경험에 따른 게 아닐까 싶다.

　　고 교수의 어머니와 아버지는 미국에서 한국인 역사를 보전하고 후학들을 양성하는 지도자였다. 고 교수의 아버지와 어머니는 뉴헤이번에 있는 동암문화연구소(East Rock Institute)를 설립하였고, 어머니 전혜성 박사는 이 동암문화연구소 이사장으로서 여러 행사를 계획하여 미국 내 한국계 이민자들과 그 자녀들 그리고 미국인 일반에게도 한국 문화를 소개하는 일을 하고 있다.

고홍주 교수가 대법관의 역사를 기록하는 사람이 된 것은 그가 미국 최고의 인사이더(Ultimate Insider)로 인정받은 예라고 할 수 있다. 블랙먼 판사의 공정함과 우수한 젊은 학자에게 주어진 기회로 인해 언젠가는 블랙먼의 전 보좌관이었던 고 대법관의 회갑을 축하할 기회가 있을지도 모른다.

Chapter 2 _ 아이를 진정한 리더로 키우려면

– 21세기가 요구하는 오센틱 리더로 키우는 7가지 덕목

리더라고 하면 어떤 이미지를 떠올리는가? 대부분은 선장처럼 강력한 카리스마로 다른 구성원을 이끄는 인물을 연상할 것이다. 그런데 여기서 눈여겨보아야 할 것이 있다. 뛰어난 능력을 가진 선장이라 할지라도 그 역시 한때는 선원이었으며, 그런 그가 수많은 경험을 거쳐 리더에 올랐다는 사실이다. 우리가 기억해야 할 것은 리더는 태어나는 것이 아니라 만들어진다는 점이다. 그 바탕을 만들어주는 사람이 부모다. 부모의 노력에 따라 아이들은 진정한 리더로서의 요건을 갖추게 된다.

내 아이에게 꼭 가르쳐야 할
오센틱 리더십의 7가지 요건

　사람들은 내게 종종 아이를 잘 기른 비결이 무엇이냐고 묻는다. 어떻게 해서 그처럼 자식들이 성공할 수 있었느냐고 말이다.

　나는 그런 질문을 하는 사람들에게 이렇게 되묻는다.

　"여러분은 여러분의 아이들이 어떤 어른으로 자라기를 바랍니까?"

　"여러분이 생각하는 자녀 교육의 목적은 무엇인가요?"

　"여러분은 성공이 무엇이라고 생각하나요?"

　나 또한 같은 질문들을 스스로에게 던져보았다. 그리고 내 나름대로 이 세 가지 질문을 모두 만족시킬 만한 답을 이끌어냈다.

　"진정한 지도자."

　나는 내 아이들이 다른 사람을 배려할 줄 아는 진정한 지도자가 되기를 바랐다. 그것이 곧 성공이라고 생각했으며 그 성공을 교육의 목적으로 삼았다. 그리고 결과는 여러분도 알다시피 성공적이었다.

왜 진정한 리더십인가

나는 여섯 아이를 키우면서 진정한 리더가 되려면 무엇이 필요한가를 깨닫게 되었다. 뉴헤이번에서 동암문화연구소(East Rock Institute)를 시작한 1985년 이래 그곳을 거쳐간 아이들 여럿이 미국 사회의 핵심 인재로 성장하는 모습을 지켜본 것도 진정한 리더십의 조건을 정리하는 데 도움이 되었다.

성인이 되어 직장 생활을 하다보면 어느 순간 팀장에 올라 팀원들을 거느리게 된다. 그러나 단순히 지위가 올랐다고 해서 모두가 리더로 인정받지는 않는다. 사람들이 리더라고 부를 때는 단지 높은 직위 이상의 의미가 있기 때문이다.

자식을 키우는 부모들은 한결같이 아이가 성공하기를 바란다. 하지만 그저 남보다 높은 자리에 있는 리더가 되기를 바라지는 않을 것이다. 남보다 높은 자리를 이용해서 오히려 많은 이들에게 피해를 주는 사람도 적지 않기 때문이다.

다른 사람으로부터 존경받고 스스로도 성취감을 높일 수 있는 '진정한 리더십'을 갖기란 쉬운 일이 아니다. 부모가 먼저 그 틀을 짓고 아이를 이끌어야 한다. 일단 이런 목적이 서면 방법도 달라질 것이다.

리더라고 하면 어떤 이미지를 떠올리는가? 대부분은 선장처럼 강력한 카리스마로 다른 구성원을 이끄는 인물을 연상할 것이다. 그리 틀린 생각은 아니다.

학문적으로도 리더란, 집단 구성원의 욕구에 맞는 공동 목표를 세운 뒤 적절한 정신적·물질적 힘으로 그것을 성취시킬 수 있는 사람을 말한다.

그런데 여기서 눈여겨보아야 할 것이 있다. 뛰어난 능력을 가진 선장이라 할지라도 그 역시 한때는 선원이었으며, 그런 그가 수많은 경험을 거쳐 리더에 올랐다는 사실이다. 우리가 기억해야 할 것은 리더는 태어나는 것이 아니라 만들어진다는 점이다. 그 바탕을 만들어주는 사람이 부모다. 부모의 노력에 따라 아이들은 진정한 리더로서의 요건을 갖추게 된다.

지금부터 진정한 리더가 되려면 갖춰야 할 7가지 요건을 소개하겠다. 수십 년간의 연구와 경험에서 얻은 것이기에 많은 사람들에게 보탬이 되었으면 하는 마음이 더 크다.

첫째 요건은 뚜렷한 목적과 열정이다

리더는 리더로서의 사명감을 가져야 하는데 이 사명감은 뚜렷한 목적의식과 열정에서 나온다. 뚜렷한 목적의식과 열정은 원하는 바를 이루게 해주고, 기대 이상의 성과를 가져다주는 가장 큰 원동력이 된다. 부모는 아이가 하고 싶은 일을 찾아 할 수 있도록 길을 제시해주어야 한다.

미국 예일대 교수들의 말을 빌리자면, 아이들에게 뚜렷한 목적의식을 가지고 열정을 쏟을 수 있는 삶의 목표를 세워주는 것이 가장 중요하다고 한다. 하지만 가장 어려운 일이 바로 학생들에게 그러한 삶의 목표를 세워주는 것이라고 덧붙인다. 어떤 아이는 입학할 때부터 자신의 목표가 분명한가 하면, 또다른 많은 아이들은 졸업할 때까지도 마음을 정하지 못한다는 것이다.

무조건 명문대만 가면 모든 게 해결되고 쉽게 성공할 것이라고 믿는 부모들에게 많은 것을 생각하게 해주는 이야기다.

두 번째 요건은 역할 완수와 자아실현이다

나만 생각하는 데서 나아가 사회의 일원으로서 생각하고 그 역할을 해낼 수 있을 때 비로소 리더로 설 수 있다. 즉, 공동의 목적을 찾아 나와 남 모두에게 이로운 일을 할 때 타인의 지지를 얻는 리더가 될 수 있다는 말이다. 봉사 정신이 필요하다.

세 번째 요건은 자아 정체성과 자기 문화를 이해하는 역량이다

자신이 누구인지 명확히 알 때 타인 앞에서도 당당할 수 있다. 지금처럼 다양한 문화가 공존하는 사회에서는 더욱 절실하다. 나를 있게 한 한국의 문화적 배경을 이해하고 한 사회에 속한 자신의 특성을 이해하도록 넓은 안목을 키워줘야 한다. 정체성이란 과거와 현재는 물론 미래에까지 이르는 내적 일관성을 얻는 것이기 때문이다.

네 번째 요건은 '덕승재(德勝才)'할 것, 즉 재주보다 덕을 중시하는 태도를 갖추는 것이다

재주가 덕을 앞선 사람은 결국 집단에서 환영받지 못하고 지도력을 잃게 된다. 지도자에게 재주는 꼭 필요하다. 그러나 그 재주를 어떻게 사용할지는 그 사람의 덕에 달려 있다. 영혼부터가 고결하고 도덕적이어서 다른 사람을 배려하고 봉사할 줄 아는 사람이 진정한 리더의 자리에 오르며, 또 그 자리를 지킬 수 있다.

다섯 번째 요건은 창의적인 통합력이다

우리는 모든 것이 빠르게 바뀌는 세상에서 여러 인종과 더불어 살고 있다. 이때 다른 문화와 가치관을 받아들여 자기 삶을 더 윤기 있게 할 수 있는 열쇠는 유연성과 창조성이다.

고정관념에 휩싸여 한 전통만을 고집하거나 내 것에만 치중하다보면 창의성이 중시되는 지식정보 사회의 리더로 서기 어렵다. 상황에 따라 탄력 있게 대응하며 새로운 대책을 구성하고 통합 적용할 수 있어야 리더로 바로 설 수 있다.

여섯 번째 요건은 역사적이고 세계적인 안목이다

글로벌 시대를 맞아 다른 문화에 접촉할 기회가 많아졌다. 그런 만큼 다른 문화에 대한 빠른 이해력이 리더의 필수 요소가 되었다. 그러려면 어릴 때부터 다른 문화를 공부하거나 경험할 기회가 많아야 한다. 단지 접촉 횟수만 늘릴 것이 아니라 아이 스스로 여러 문화를 비교해가며 제대로 이해할 수 있는 기회를 많이 주어야 한다.

이것을 문화적 역량(cultural competence)이라고 한다. 그래야 앞을 내다볼 수 있는 비전을 얻을 수 있다. 이것이 바로 예전과는 다른 지도자의 자격 요건이라고 할 수 있겠다.

마지막 일곱 번째 요건은 대인관계 능력이다

정보의 홍수 시대라고들 한다. 자유자재로 정보를 조합해서 쓰는 영재들 역시 늘고 있다. 이런 상황에서 다른 사람보다 머릿속에 더 많은 지식을 외우고 있는 것은 어느 수준 이상이 되면 경쟁력이 못 된다.

많은 뛰어난 사람 중에서도 진정한 리더가 될 수 있는 능력은 결국 대인관계를 얼마나 잘 이끌어가느냐에 달려 있다. 대인관계 능력이 좋아야 뛰어난 사람들로부터 협조를 얻어 창조적인 조합도 이루어낼 수 있다.

이렇게 핵심만 나열해보니 교과서적인 뻔한 이야기처럼 보인다. 그러나 사실 가장 실천하기 어려운 것이 교과서적인 원칙들이다.

이 내용들은 나의 실제 경험과 연구를 통해서 정리된 내용들이다. 이 요건들이 '왜 진정한 리더십에 필요한가', '어떻게 하면 키워질 수 있는가' 하는 것은 앞으로 살펴볼 구체적인 사례 속에서 드러날 것이다.

AL 1.
뚜렷한 목적과 열정을 가르쳐라
(Purpose & Passion)

학교를 다니지 않고도 남다른 성취를 이룬 사람들이 있는가 하면 세계 유명 대학을 나와서도 특별한 사회 공헌을 못 한 자들도 많다. 예일대 법 대학장을 맡고 있는 고홍주 교수는 2005년 신입생 환영사에서, 성취한 사람의 경우는 "나는 이런 원칙을 가지고 살겠다는 목적이 뚜렷하다 (What I do stand for)"라고 말하였다.

진정한 리더십은 삶에 대한 뚜렷한 목적의식과 그 목적을 이루고자 하는 열정에서 나온다. 뚜렷한 목적 없이 열정적일 수는 없다. 간혹 목적도 없고 열정도 없는 사람이 리더가 되는 경우도 있지만, 그들은 그 자리에서 오래 버티지 못한다. 열정 없는 사람이 이끄는 조직에서 열정을 다할 팀원이 나오기는 어렵다. 그렇게 성과 없이 세월을 보내다보면 결국 그가 이끄는 조직은 와해될 수밖에 없다.

진정한 리더는 그의 비전과 열정에 사람들이 감동하고 존경하며 저절로 따르게 되는 사람이다. 자기 욕심만 내세우고, 따르는 사람들의 요구와 공동의 이익을 외면한 열정으로는 사람들을 끌어당길 수 없다. 한 인간으로서 자기 삶의 철학, 가치관이 바로 서고 타인과 진정한 연대를 이룰 때 존경받을 수 있다.

  진정한 리더는 특정한 곳에서만 리더로 활동하지 않는다는 공통점이 있다. 어떤 자리에 있든지 그의 사람됨과 성취력은 주머니 안의 송곳처럼 드러난다. 자연히 주변 사람들은 너도나도 그에게 일을 맡기므로, 열정적인 리더는 일복이 많을 수밖에 없다. 그는 자신이 리더라는 인식이 없는 상태에서도 타고난 열정으로 하는 일에 열과 성의를 다한다. 바로 이 점이 그를 리더로서 각인시키는 한 요소가 된다.

  이런 기질은 아이들이 사회성을 발휘하면서 드러나기도 한다. 초등학생들만 모여 있는 자리에 가도 모든 면에서 적극적이면서도 남들을 배려할 줄 아는 아이를 발견할 수 있다. 좋은 천성을 타고난 게라고 부러워하는 부모들이 있는데, 그 생각은 오해다. 그런 아이는 비록 나이는 어리지만, 나름대로 리더십을 훈련받은 경우다. 남다른 리더십을 발휘하는 아이들의 환경을 가만히 살펴보면 형제자매가 많거나 부모의 가르침이 특별한 경우가 대부분이다. 우리 가족처럼 가족회의나 정기적 봉사를 하는 식의 책임과 의무에 관한 교육이 분명 있었다.

  나는 뚜렷한 목적의식과 열정을 가르치는 교육의 장(場)으로 형제자매와 부대끼며 자라는 것만한 게 없다고 생각한다. 내 아이들이 스스로 뚜렷한 목표를 세우고 그것을 위해 끊임없이 노력한 데에는 그러한 집안 환경이 큰 몫을 했을 것이다. 우리 부부는 아이들의 진로나 계획에 대해 늘 생각하고는 있었지만 특별히 간섭한 적은 없다. 모든 것은 아이들과 대화를 거쳐 이루어졌다. 우리 부부는 아이들과 대화의 장을 만들기 위해 가족회의를 가졌고, 아이들은 그 안에서 각자의 역할을 찾아냈다. 아이들은 자신의 욕구가 좌절되는 경험을 여러 번 하면서 자신이 원하는 것을 얻기 위해 해야 할 일을 스스로 터득해냈다.

"원하는 것이 있으면 그것을 얼마나 원하는지 모든 이에게 명확히 보여주어야 한다."

이 말은 언뜻 거창해 보이지만, 사실 형제자매 사이에서 복닥거리며 자라난 사람이라면 누구나 터득한 삶의 방식일 것이다. 모든 것이 넉넉하지 않은 가정 안에서 자기가 원하는 것을 얻으려면 그것을 얼마나 열렬히 원하는지를 가족 구성원 모두가 알아야 한다.

'해도 되고 안 해도 되고…….'

형제가 대여섯쯤 되는 집에서는 이런 식으로 바라면 아무것도 얻을 수 없다. 결국 어려서부터 확실한 목표 없이는 얻는 게 없다는 것을 깨닫게 된다. 그리고 한번 목표를 실천하지 못한 사람은 다음에는 그만큼 기회가 줄어든다는 것도 알게 된다. 예를 들어 첼로를 배우고 싶다고 노래를 불러서 겨우 기회를 얻었는데, 몇 달이 지나도 민요 한 곡을 연주할 수 없다면 아무도 그 아이의 진심을 믿어주지 않을 것이다.

"여러 가지 사정이 있어서 그랬어."

이렇게 말해보았자 신뢰가 회복되지는 않는다. 그리고 다음번 기회는 신뢰를 쌓은 다른 형제자매에게 돌아갈 확률이 많다. 한번 그렇게 기회를 잃어본 아이는 다음에는 세운 목표를 이루기 위해 최선을 다한다. 누가 가르치지 않아도 가정 안에서 리더십의 첫 덕목을 배울 수 있게 되는 것이다. 이것이 내가 젊은 부모들에게 아이를 많이 낳으라고 권하는 이유 가운데 하나다.

열정이 만든 성공과 행복

큰아들 경주는 예일대 의과대학을 졸업하고 매사추세츠주 보건후생부 장관을 거쳐 하버드대 공공보건대학원 부학장으로 있다. 이렇게 자기 나름의 길을 걷기까지 여러 과정들이 있었다. 아래에서 그 과정을 짤막하게나마 소개하여, 한 사람의 리더가 어떻게 그 삶의 목적을 찾아 추구했는지를 보고 싶다.

1970년 5월 1일 오하이오 켄트 대학에서는 베트남 전쟁을 반대하는 학생들의 시위가 있었다. 그런데 3000여 명의 학생들과 국방경비대가 서로 맞서 버티던 중에 학생 4명이 사망하는 사건이 처음으로 벌어졌다. 이 사건은 미국 전역에 영향을 주었고, 학생뿐 아니라 지식인, 노동자 등까지 반전 운동에 참여하는 계기가 되었다.

미국 전역의 대학에서 매일 데모가 이어지던 중 흑인 폭동을 지도했던 바비 씰이 공정한 재판을 받지 못하는 사건이 일어났다. 그러자 관련 시위까지 일어나서 정신이 없을 정도였다. 마침 바비 씰의 재판이 우리가 살던 뉴헤이번으로 옮겨졌다. 그때부터 예일대 학생들은 6주 동안이나 인종 차별을 주제로 반정부 운동을 벌였다. 예일대 아이스하키 링크에서 폭탄이 터질 정도로 혼란스러웠다. 결국 대학 측에서는 학기말 시험을 연기하고 휴교를 결정했다. 그때 경주는 예일대 1학년생이었다. 집이 학교에서 멀지 않았지만 경주는 독립적인 생활을 하겠다며 기숙사에서 지내고 있었다. 우리 부부는 경주가 예일대에 입학할 때 한 가지 약속을 했었다.

"네가 집에 전화를 걸면 걸었지, 우리는 네가 딴 도시에 있는 것보다 더 자유롭게 살 수 있도록 너를 오라 가라 하지 않겠다."

그런데 입학한 지 얼마 안 되어 혼란스러운 상황이 벌어진 것이었다. 시위가 격해지고 휴교령까지 내리자 우리도 부모인지라 당연히 아들의 안부가 걱정되었다. 우리는 속이 탔지만 약속을 어기지 않고 전화만 기다렸다. 신문과 라디오는 여러 날 계속 시위를 보도하면서 폭탄이 예일대 하키장에 터졌다는 등의 살벌한 뉴스를 내보내고 있었다. 흉흉한 소문이나 뉴스가 나올 때마다 부모로서 입이 바짝바짝 타들어갔다. 그래도 경주의 의지가 워낙 대단했기에 우리는 참고 기다리기로 했다. 아마도 경주는 이 기회에 사건을 자기 눈으로 직접 보고 잘잘못을 판단하려고 학교에 남은 것 같았다. 그렇게 전화도 없이 일주일이 지나고 마침내 경주에게서 전화가 왔다.

"저는 그동안 많은 학생 데모대가 이 미국을 바로잡으려는 정열로 토론하고 애쓰는 모습을 지켜보았어요. 그들의 마음도 알게 되었고, 저 역시 그들과 같은 생각이에요. 그러나 제 결론은 그들과 달라요. 이 미국 사회의 불쌍하고 가난하며 힘이 없어 억울하게 당하는 사람들을 도우려면 말이나 열정말고도 확고한 기술 같은 게 필요하다는 것을 절감했어요. 대안 없는 토론은 이제 의미 없어요."

데모대의 모습에서 경주는 그들에게 건설적인 대안이 없다는 것을 발견하고 안타까움을 느낀 것이다. 경주는 자신의 결론을 이렇게 말했다.

"저는 정말 이 세상에 도움을 주고 싶은 마음이 간절합니다. 그러나 그 마음이 간절할수록 아직 제 힘이 미약하다는 것도 새삼 느끼게 되었어요. 지금이야말로 사람들에게 도움이 될 수 있는 확고한 기술이 필요한 것 같습니다. 그래서 저는 의학 공부를 하기로 결정했습니다."

경주는 데모하는 사람들 못지않게 세상의 정의를 찾고 있었다. 하지만 정치적인 정의말고도 가능한 것이 있다고 생각한 경주는 지금 당장 사람들이 정말 필요로 하는 것을 해야겠다고 마음먹었다. 그래서 선택한 것이 의대 진학이었다.

경주가 의사를 선택한 이유는 이렇게 확실했다. 사실 많은 돈을 벌어 호의호식하자는 생각으로 의사를 선택한 사람이나 경주처럼 어떤 목표를 위해 의사가 된 사람이나 겉으로는 똑같아 보일 수도 있다. 그러나 자기 삶의 목표와 의미를 생각했던 사람과 그렇지 않은 사람이 살아갈 삶의 질은 전혀 다를 것이다. 자신의 가치관을 따라 사는 인생이니 매순간 열정적이고, 그렇게 오랜 세월이 흐르다보면 다른 사람들도 그것을 알아볼 수밖에 없다. 경주의 성공도 그러한 것이었다.

경주는 의사가 된 것에 만족하지 않고 뚜렷한 목표의식 아래 앞으로 나아갔다. 그의 남다른 목표의식은 수많은 도전도 마다하지 않게 해주었다.

경주가 매사추세츠주 보건후생부를 맡았을 때의 일이다.

미국에서 가장 역사가 길고, 병원이 많은 주의 보건을 맡은 사람으로서 경주의 도전은 컸다. 6000명의 직원을 거느리고 9억 6500만 달러의 예산을 집행하며 행정을 맡아보는 것은 정말 복잡한 일이었다. 병원 내에서 꼭 해도 되지 않는 수술을 막다보니 시대적 변화를 원하지 않는 쪽에서 계속 소송을 걸어왔다.

그는 13회에 이르는 그러한 소송들에서 모두 승소했다.

경주는 자신만이 바로잡을 수 있는 부정을 고치지 않는다면 이 자리에 있을 이유가 없다며 언제나 사표를 쓸 각오로 임했다. 이것은 그의 동생

홍주가 국무차관보로 있을 때 보여준 태도와 같았다. 그런 뚜렷한 사명감과 목적의식, 열정은 많은 난관을 헤쳐나갈 수 있는 힘이 되었다. 경주는 줄곧 자리에 연연하지 않고 금연 문제(암 예방), 전염병 예방, 불법 수술, 소수민족을 위한 보건 정책을 잇따라 내놓았다.

자신이 원하는 일은 역경도 즐길 수 있다

열정을 다한다고 모든 어려움이 술술 다 풀리는 것은 아니다. 다만 뚜렷한 목적의식과 열정은 어려움을 이겨낼 힘을 얻게 해준다. 또한 작은 성공에 머물지 않고 보다 더 높은 곳, 보다 어려운 길을 일부러 찾아가게 하는 용기를 준다. 경주는 정말 열심히 공부했다. 의술 자체뿐만 아니라 의학 윤리에 대해서도 대단한 관심을 보였고, 신학대학에까지 드나들었다. 그 바쁘다는 의대 공부를 하면서 말이다.

의사가 된 뒤에도 경주의 노력은 멈추지 않았다. 경주는 처음 의대를 선택했을 때만 해도 내과 의사만 되면 무슨 병이든 다 고칠 수 있을 것이라고 생각했다고 한다. 그러나 의학 공부를 하면 할수록 오히려 모르는 게 더 많다는 것을 실감했다. 경주는 그때 암을 연구하고 있었는데 아무리 생각해도 생사의 갈림길에 있는 환자를 고치기엔 치료적인 측면에서는 그 시기가 너무 늦다는 것을 깨달았다고 했다. 그래서 경주는 예방의학으로 연구의 방향을 바꾸었다.

"암 자체를 연구하고 죽어가는 환자를 치료하는 일은 공부한 것을 적용하면 되니 그리 힘들지 않아요. 정작 나를 힘들게 하는 것은 따로 있답니다. 나는 환자의 가족이 암이라는 진단에 슬퍼하고 절망에 빠지는 것을 도저히 지켜볼 수 없습니다."

우리 부부는 이 말을 들으면서 경주가 처음 의대를 선택할 때 품었던 마음을 그대로 간직하고 있을 뿐만 아니라 더 훌륭해진 것을 느낄 수 있었다. 그때 경주는 이미 의학 기술로 남을 돕겠다는 열정을 뛰어넘어 눈에 보이지 않는 의사 역할에 대해서도 고민하고 있었다. 의사로서 환자와 그의 가족을 도울 길을 찾는 아들의 모습에서 오히려 부모인 우리가 가르침을 얻었다.

그때는 예방의학이라는 분야가 인기하곤 영 거리가 멀었다. 의사들조차 예방의학의 중요성을 몰랐고, 실제로 사람들도 예방이 왜 필요한지를 이해 못 하던 시절이었다. 의사로서 환자를 치료하면 환자도 만족해하고 돈도 벌 수 있지만 예방의학 분야는 사정이 달랐다. 사람들이 중요성이나 필요성을 못 느끼니 돈벌이도 안 되었고, 공부 자체도 까다로웠다. 결국 다른 의사들이 예방에 신경 쓸 이유를 찾지 못하던 그때 경주는 달랐다. 경주는 암에 걸려 죽을 것이 뻔한 환자의 고통을 늘려주는 대가로 의사가 돈을 번다는 것을 참을 수 없어 했다.

경주는 사람들이 암에 걸리기 전에 암에서 구하겠다는 마음으로 예방의학 공부를 시작했다. 우선 종양학 등 네 분야의 전문가 면허를 따고 다시 보건과 석사 과정부터 밟기 시작했다. 1970년대의 일이다.

예방의학이 주목을 끌기 시작한 것은 그 뒤 미국의 정책이 뒷받침되면서부터였다. 여러 질병으로 보험료가 점점 높아지다보니 미국 정책 당국이 사후 치료보다는 예방이 상대적으로 돈이 덜 든다는 것을 파악한 것이다. 사람들은 예방의학에 정통한 의사를 찾아 나섰고, 예방의학을 남보다 먼저 연구했던 경주는 의학의 변화 흐름에 앞선 의사가 되었다.

경주는 예방의학에서 멈추지 않았다. 그는 의대에서 내과, 암, 혈액학,

피부과 교수로 몸담으면서도 다시 남에게 도움이 되는 길을 찾아 보건후생 공부를 계속했다. 그가 평생 연구한 것은 의학이 아니라 의학을 통한 인권 보장과 봉사였다.

전문적인 봉사자를 필요로 하던 주정부가 경주의 남다른 노력을 알아보았고, 결국 경주는 매사추세츠주의 보건후생부장관에 임명되었다. 그는 이른바 남들이 말하는 성공도 하고 존경받는 리더도 되었다. 하지만 그는 첫 마음을 잃지 않은 채 전과 다름없이 고생스러운 길을 걷고 있다. 나는 그런 그의 삶이 성공적이라고 믿고 있다.

만약 경주가 커다란 목표 없이 단순한 의사의 삶을 선택했다면, 그렇게 끊임없는 열정도 보이지 않았을 테고 흔히 말하는 성공도 이루지 못했을 것이다. 아니, 처음부터 의대를 선택하지도 않았을지도 모른다. 그러나 경주는 자기 나름의 뚜렷한 목적을 세웠고 그것을 위해 열정을 다했다. 그리고 마침내 그 분야의 리더로서 성공했다. 경주는 지금도 리더로서의 성취감과 행복을 이어가며 그것이 한때의 운 좋은 성공이 아니라는 사실을 스스로 입증하고 있다.

경주가 하루는 나한테 전화해서 이런 말을 했다.

"아버지 어머니께서 우리를 키우시면서 돈 이야기는 한 번도 입 밖에 내지 않은 채 자기 이상을 추구하라고 하신 것에 정말 감사드려요. 철이 들어 돌이켜보니 우리가 자라날 때는 아버지 어머니도 고학생으로 넉넉하지 않은 살림을 하고 계셔서 돈을 많이 벌라고 하실 만도 했는데 말이에요. 부모님의 가르침대로 최선을 다해 제 이상을 추구하다보니 가장 인기 없는 예방의학을 하던 사람에게 의학 교재를 쓰라고 국가보건위원회(NIH, National Institute of Health)에서 많은 연구비도 주었습니다. 돈을 목적으로 하지 않았는데도 말입니다. 이제 저는 경제적으로도 여유 있고 행복하게 존경받으며 살게 되었습니다. 제 의사 친구들 중에도 늘 돈, 돈 하며 큰돈 벌기를 바라고 실제로 돈을 번 사람도 있지만 이상하게 도 그들에게는 이와 같은 큰 연구비가 나오지 않아요. 저처럼 된 사람은 드물어요."

경주는 부모인 우리가 바른 가치관을 심어준 덕에 자신이 오늘에 이를 수 있었다며 고맙다고 했다.

앞서 강조했듯이, 뚜렷한 목적의식과 열정은 원하는 바를 이루게 해주 고 기대 이상의 성과를 내게 하는 가장 큰 원동력이다. 그러므로 부모는 아이가 하고 싶은 일을 찾을 수 있도록 길을 제시해주어야 한다.

AL 2.
맡은 바를 충분히 다할 때
자기완성도 이룬다
(Role Fulfillment & Self Actualization)

동양적 가치관으로 보면 남녀노소 할 것 없이 역할 완수가 매우 중요하다. 여기서 역할 완수란 결국 한 공동체 속에서 자신이 해야 할 일을 철저히 한다는 의미다. 오늘날 서양에서는, 특히 일부 여권운동가들은 한 여자가 남편이나 자식 혹은 자기 보스를 돕는 역할 완수를 자기완성과 대립되는 개념으로 받아들인다. 이것은 역사 속에서나 현대에 성공한 여성들을 봐도 알 수 있다. 나는 역사 속 조선 시대 여성들과 1980~1990년대 한국 여성지를 장식한 여성들의 사례를 비교 분석한 끝에 이런 결론을 얻었다. 즉, 자신이 맡은 바를 충분히 다할 때 자기완성도 이룰 수 있다는 것이다.

다 알다시피 리더는 한 공동체의 대표다. 리더의 역할은 그 공동체의 대표로서 모든 구성원의 공동 목적을 이루어내는 것이다. 따라서 지도자가 되려면 공동 목적을 이루기 위해 자기 역할을 다하는 모습을 보여야 한다. 개인적인 욕심으로 자기완성만 외친다면 지도자로서 인정받기 힘들다.

이는 서구 사회에서도 마찬가지다. 서양 사람들이 바라보는 진정한 리더는 개인적인 자기완성자보다는 차라리 동양적인 가치관에서 역할 완수를 잘하는 사람에 더 가깝다.

우리 아이들이 미국 사회에서 인정받게 된 것도 기존의 개인주의적 가치에 동양의 가치관이 합쳐져 이들이 원하는 진정한 리더의 조건을 만족시켰기 때문이다. 동양의 가치가 미국의 현실에 맞게 절충된 것이 사람들에게 인정받았던 것이다. 여기서 다시 한 번, 자신만을 위하고 자기 아이만 성공시키려고 하면 결국 자기 아이도 성공을 못 시킨다는 점을 지적하고 싶다.

리더는 개인적인 욕심을 좇아 악착같이 노력하는 사람이 아니다. 여러분이라면 공동 목적을 세우고 모든 열정을 불태워 그 목표를 달성할 줄 아는 사람과 개인적인 자기완성에만 신경 쓰는 사람 중 누구를 리더로 따르겠는가?

내 자신이 원하는 것만이 아닌, 사회 일원으로서 그 역할에 충실해야만 진정한 리더로 설 수 있음을 아이에게 가르쳐야 한다. 공동의 목적을 찾아 남과 나 모두에게 이익이 되는 일을 할 때, 비로소 타인의 지지를 얻는 리더가 될 수 있는 것이다.

역할에 최선을 다하는 것이 최고의 방법

셋째아들인 홍주는 한국에서는 예일대 법대학장인 것으로 알려졌지만, 미국에서 홍주의 이름이 널리 알려진 것은 아이티 난민과 관련된 소송 때문이었다. 홍주는 예일 법대 학생들과 함께 미대통령을 상대로 제소하였고 또 승소하였다. 홍주는 그 일을 통해 원칙을 연구하는 학자로서 그 원칙을 지키기 위해 목숨 걸고 투쟁하여 역할을 완수함으로써 자아실현이라는 것이 무엇인지를 보여주었다.

홍주가 리더로서 성공한 데는 물론 기본적으로 실력이 바탕이 되었다. 홍주는 공익관계법의 최고 권위자인 워싱턴의 카빙턴 앤 벌링 법률사무소에서 변호사로, 대법원에서는 블랙먼 대법관의 보좌관 서기로, 국무부 인권 차관보로 일했다. 또 대학교수로 학생들을 가르치면서 다양한 경험을 쌓았다. 그러나 이런 경험이 있다고 해서 똑똑한 사람들이 모인 법대, 그 중에서 세계 최고라는 예일대 법대학장에 만장일치로 추대되는 것은 아니다. 홍주는 자신의 신념을 행동으로 보여주며 끝까지 역할을 완수해냈고 그런 이력이 큰 평가를 받은 것이다.

아이티 난민 문제를 의뢰받았을 때 홍주는 예일대 석좌교수였다. 생활의 안위와 명예만 생각했다면 굳이 나설 필요가 없는 골치 아픈 문제였다. 국제사면위(Amnesty International) 사람들은 추방 위기에 있는 관타나모 해군 기지 억류 아이티인들을 도와줄 사람을 찾아 온 나라를 뒤졌다. 정치적으로 민감한 문제였을 뿐만 아니라 법률적으로도 헌법, 국제법, 이민법, 소송법이 얽히고설킨 복잡한 문제였다. 그들은 이 모든 분야의 전문가인 홍주만이 이 문제를 풀 수 있다고 결론내렸다. 그리하여 홍주에게 일을 맡아달라고 부탁했다. 홍주는 자신만이 할 수 있는 문제라면 사명으로 알고 기꺼이 돕겠다고 했다. 홍주의 결정에 대해 우려하는 목소리가 나왔다. 특히 한국인이 굳이 아이티 난민 문제에까지 나설 필요가 있느냐고 묻는 사람도 많았다. 그러나 홍주의 생각은 달랐다. 그 문제를 비단 아이티인뿐 아니라 미국에 사는 모든 소수계의 인권 문제로 받아들였다. 홍주는 아버지가 했던 말을 떠올렸다고 한다. 생전에 내 남편은 뉴욕에 있는 자유의 여신상을 보며 이렇게 말했다.

"저 유명한 자유의 여신상에는 '지치고 가난하며 자유를 숨쉬고자 하는 사람들을 내게로 보내다오' 라는 약속이 새겨져 있다."

홍주는 자유의 여신상에 새겨진 그 약속이 미국에서 꼭 지켜져야 한다는 신념을 갖고 있었다. 또한 홍주가 그 일을 맡게 된 데는 당시 아이티 난민의 상황이 한국과 비슷하게 느껴져서이기도 했다.

아이티는 당시 오랜 프랑스 통치를 거쳐 민주 정부를 수립했지만 쿠데타가 발발, 군정 정치 아래 놓여 있었다. 1961년 한국은 UN 감시 아래 처음으로 민주적 선거를 거쳐 세워진 민주 정부가 5.16으로 넘어지고 군정 정치 아래 들어가 군사 정권이 이어져 있었다. 홍주는 자연스럽게 주미공사였던 아버지가 망명을 신청하던 상황을 떠올렸던 것이다.

홍주는 18개월 동안 말 그대로 목숨을 걸고 일했다. 예일 법대 학생들과 몇몇 변호사들을 비롯한 법조계 사람들 80여 명이 총 2만 시간이 넘게 자원 봉사를 했다. 그 소송의 총책임자는 홍주였다. 대다수는 학생으로 아직 변호사도 아니었다. 그러나 순식간에 충성심으로 뭉친 뛰어난 로펌이 하나 생긴 셈이었다. 그렇지만 상대는 막강한 미국 행정부였다. 그렇게 홍주는 부시 정권과 클린턴 정부를 상대로 승산 없어 보이는 소송을 제기했다. 게다가 아주 위험한 소송이기도 했다. 만약 그 소송에서 질 경우 홍주는 1000만 달러라는 어마어마한 벌금을 치러야 할 판이었다.

당시 예일대 법대 교수의 보험금은 최대치로 올려 잡아도 100만 달러에 지나지 않았다. 만일 소송에서 진다면 돌이킬 수 없는 파산만이 기다리고 있었다. 개인적인 위협도 홍주를 압박했다. 정부 상대로 대통령에게 소송을 걸어서였는지 출처 모를 곳으로부터 생명을 위협하는 전화도 많이 받았다. 그전까지 홍주는 가만히만 있어도 편히 살 수 있었고, 승급도 보장된 상태였다. 자칫 홍주의 가족들까지 희생당하게 될지 모른다는 생각에 두려웠다. 객관적으로나 개인적으로나 불리한 상황이었다. 그러나 홍주의 부인 크리스티(가난한 사람들을 돕는 변호사)는 "꼭 해야겠다고 생각되면 하세요"라고 남편을 격려했다.

이 사건은 엎치락뒤치락하면서 대법원까지 가게 되었다. 결과부터 말하자면 홍주는 제기한 네 가지 소송 가운데 세 가지를 이겼다. 먼저 두 가지 항목에 승소 판결이 나자 마지막 항목에 대해 홍주 쪽에서 정부 상대로 벌금 1000만 달러를 걸고 소송을 제기했다. 그러자 정부에서 1000만 달러 보상금 조건을 취소한다고 통지했다.

우리는 대법원의 최종 판결이 있던 날을 잊지 못한다. 홍주는 아버지의 넥타이와 허리띠를 하고 법정으로 갔다. 그 중대한 판결에 '자유의 여신상에 새겨진 약속'을 들려주시던 아버지의 보살핌이 필요했기 때문이었으리라. 그러나 소송은 홍주에게만 의미 깊었던 것은 아니었다.

판결이 있기 전날 밤 대법원 광장 앞에는 진풍경이 벌어졌다. 함께 일했던 자원 봉사자들은 물론이고 이 사건을 지켜보던 전 미국의 법학도 수천 명이 발 디딜 틈 없이 모여들어 슬리핑백 속에서 밤을 지새웠다.

그날 광장에서는 미 흑인 대통령 후보자 1호인 제씨 잭슨 목사가 긴 연설을 했다. 그 뒤로 홍주가 큰 소리로 아주 짤막한 연설을 했다.

"당신은 홀로코스트에서 죽은 유태인을 아십니까? 그러면 당신도 아이티인입니다. 당신은 인종 차별을 받은 적이 있습니까? 그럼 당신은 아이티인입니다. 당신은 자기가 하지도 않은 일을 순전히 남과 다르다 하여 억울함을 당한 경험이 있습니까? 그럼 당신도 아이티인입니다."

홍주가 질문 하나하나를 끝낼 때마다 관중들도 홍주를 따라 "나도 아이티인이다"라고 외쳤다. 마치 데모 노래를 합창하는 데모대처럼 말이다.

제씨 잭슨 목사도 이 같은 관중의 호응에 놀라는 듯했다. 관중의 마음을 움직인 것은 웅변술이 아니라 홍주의 열띤 목소리에 담긴 진실이었던 것이다.

아침이 되자 그들은 법원으로 들어가는 홍주를 에워싸고 "해럴드 홍주 고"를 외쳤다. 이 판결이 난민 문제가 곧 인종 차별 문제임을 판가름해줄 수 있었고, 과연 정치적 타협이 아닌 미국법의 해석만으로도 해결될지가 사람들의 관심거리였기 때문이다. 백악관의 은근한 압력이 있었다. 미법무성 직원들도 다방면으로 이 소송을 중지시키려고 아슬아슬한 줄다리기를 펼쳤다. 미국 역사상 중요한 판결이었기 때문이다.

재판 결과 관타나모에 억류돼 있던 아이티인 310명이 미국으로 입국할 수 있었다. 법대 교수와 학생들, 아직 변호사 시험도 치지 않고 법관도 되기 전의 학생들이 법으로 투쟁해서 미국 정부를 이긴 이 사건은 역설적이게도 미국법의 위신을 세운 셈이 되었다. 당시 정부 측에서는 에이즈 환자가 많다는 식으로 이런저런 조작을 해서 그들을 입국시키지 않을 구실로 삼기도 했다.

지난 가을, 이 판결과 관련된 『Storming the Court』라는 책이 출판되었다. 나는 이 책을 크리스마스 선물로 받아 읽었다. 소송에 함께했던 한 학생이 변호사이자 작가가 되어 7년간 연구하고 조사한 끝에 발간한 이 책은 지금, 한국에도 잘 알려진 영화 〈하버드대의 공부벌레들〉을 만든 워너브라더스 사에서 영화로 만들고 있다. 홍주는 영화사에 자기 역할을 할 배우는 반드시 동양인이기를 바란다는 입장을 표명했다.

이 일이 있던 때는 LA 폭동으로 한인과 흑인의 관계가 악화되었을 무렵이었다. 그래서 한국계 미국 학자가 흑인을 도왔다는 사실을 더욱 신기하게들 생각했다. 이 사건이 밤늦게 흑인들의 라디오 전파를 탔다는 소식이 들리기도 했다.

홍주는 법을 소중히 하는 사람으로서 인종 차별이 불법임을 대내외적으로 확인시키는 작업을 사명으로 삼아 최선을 다했다는 것에 큰 보람을 느꼈다. 또한 학생들을 가르치는 교수로서 국적, 인종, 성, 기타 모든 장벽을 넘어 이 사건에 동참한 많은 젊은이들에게 원칙을 위해 투쟁하는 정신과 법적인 가르침을 주었다는 것에 큰 자부심을 느끼고 있다.

이 소송이 계기가 되어 홍주는 5년 뒤 클린턴 정부의 인권 차관보로 나아가게 된다. 상식적으로 보면 클린턴 행정부에 맞서 곤란하게 만든 당사자에게 있을 수 없는 일이었다. 그러나 소송과는 별개로 행정부는 홍주의 실력과 끝까지 신념을 굽히지 않고 정의 추구에 최선을 다한 것을 높이 평가했던 것이다. 처음에는 임용을 거절하던 홍주도 "미국의 인권 정책을 강화하려면 당신 같은 사람이 필요하다"는 그들의 끈질긴 설득을 받아들였다.

학자로서, 한인 2세로서, 교수로서, 법을 소중히 여기는 시민으로서 홍주는 제 역할을 다했다. 그리고 그에 맞는 보람을 얻었다. 홍주는 거기에 만족하지 않고 지금도 대법원에 올라가는 많은 법적인 문제들에도 적극 관여하고 있다. 홍주가 남보다 실력이 낫다는 말에 만족하고 개인적인 자기완성만을 목표로 했다면 지금 같은 큰일을 하지 못했을 것이다. 또 리더로서 지금과 같은 존경도 받지 못했을 것이다. 그때 그를 도왔던 학생들 가운데 6명이 대법원 보좌관에 올랐고, 이제는 미국 각처에서 뛰어난 인권 변호사로 활약하고 있다.

전 예일대 윌리엄 슬론 코핀(William Sloane Coffin) 목사는 『Storming the Court』의 서평에 다음과 같이 썼다.

존 러스킨 말에 '우리의 노력에 대한 가장 값진 보석은 노력 끝에 얻게 되는 무엇이 아니라, 그 과정에서 만들어지는 우리 자신의 모습이다' 라는 말이 있다. 예일 법대생들과 그들의 총명한 교수는 감금당한 아이티인들에게 자유를 안겨주고 모두 영웅이 되었다. 이 책은 그 중 한 학생이 쓴 이야기로 대단히 아름답고 감동적이다.

나는 이 말을 이렇게 해석하고 싶다. 봉사란 봉사를 받는 사람보다 봉사하는 사람이 더 크고 깊은 은혜를 받는 일이라고.

홍주는 인터뷰할 때마다 이렇게 자기 소개를 한다.

"저는 한국계 미국인 변호사이자 교육자이며 학자입니다. 이 모든 역할을 다 즐겁게 할 수 있으니 행운이지요."

이 말에서도 홍주 자신이 여러 역할에 대해 명확히 인식하고 있는 리더라는 사실이 드러난다. 그런 인식을 하고 있으니 매순간 여러 역할에 대해서 소홀히 할 수 없는 것이다. 이처럼 역할 완수란 리더가 꼭 갖추어야 할 덕목이다.

AL 3.
일생에 걸쳐 정체성을
재정립시켜라
(Know your Diaspora self)

정체성이란 말이 나온 것은 제2차 세계대전 이후부터다. 다문화권에서는 정체성 문제가 제2차 세계대전 이전보다 더 긴급한 문제였기 때문이다.

"너 자신을 알라."

이 말은 기원전 철학자인 소크라테스가 한 말로 알려졌지만 사실은 그 훨씬 전부터 있었다고 한다. 어느 시대나 자신이 누구인지 명확히 알 때 개인적으로 만족한 삶을 살고 사회적으로도 이바지하며 살 수 있기 때문이다. 지금 우리가 사는 시대는 다문화 시대라 우리 자신이 누구인지 모르면 남을 지도하는 리더가 되기는커녕 자기 혼자 서기도 힘들 수밖에 없다.

이 시대의 많은 젊은이들이 정체성의 위기를 맞아 목표에 대한 열정을 발휘하지 못하고 자기완성, 자아실현에 어려움을 겪는 경우를 많이 보았다. 정체성의 위기는 남이 나한테 기대하는 것과 내가 나라고 생각하는 것에 차이가 있을 때 생긴다. 또 나의 과거, 현재, 미래에 어떤 내적인 일관성을 느끼지 못할 때 생긴다. 특히 외국에 사는 한국인의 경우 정체성의 위기를 많이 겪게 되는데 꼭 거창한 문제에서만 오는 것은 아니다.

한 예로 나는 그저 동양 사람이라는 막연한 생각을 가지고 살던 우수한 한국 대학생이 있었다. 어떤 사람이 베트남 전쟁 때 그에게 "베트남도 동양인데 너는 왜 모르니?"라고 말했다. 그때부터 그 학생은 매사에 자신 없어지는 식으로 정체성에 위기가 왔다고 했다.

"엄마, 미국 애들이 우리보고 'Ching Ching China Man'이라고 놀려요."

우리 아이들은 다행히 정체성의 위기를 심하게 겪은 적은 없었다. 하지만 어렸을 때는 이런 하소연을 하면서 외부 환경으로 인한 혼란과 부당한 느낌을 드러냈다. 자신에게는 아무렇지도 않은 것을 다른 사람들은 이상하게 여긴다거나, 자기 자신의 특성을 긍정적으로 안 보고 부정적으로 본다는 것은 아이들에게는 굉장한 충격이 된다. 그 경험이 반복되다 보면 쉽게 좌절하게 되고 그것이 정체성의 위기로 이어지기도 한다.

정체성은 재정립하는 것

홍주가 동암문화연구소 컨퍼런스에서 대학생들에게 이렇게 말한 적이 있다.

"정체성이란 우리가 매일 아침 이를 닦듯이 일생을 두고 거듭 재정립

해야 하는 것이다. 어제 이를 닦았으니 오늘은 닦을 필요가 없다고 할 수 없는 것과 같다."

지금 이 글을 읽고 있는 독자 중에 이런 교육은 미국에 사는 사람이나 신경 써야 할 문제라고 생각하는 사람이 있을지도 모른다. 그러나 우리의 아이들은 자신이 태어난 환경과는 무관하게 세계를 대상으로 활동해야 한다. 여러 인종, 여러 국가의 국민이 섞여 교류하는 국제화된 무대에서 말이다. 그 속에서 자기 문화의 뿌리를 모르는 아이는 자긍심을 갖지 못하고 혼란을 느끼게 된다. 외국인들 속에서 일하면서 자신의 정체성을 확신할 수 없는 사람은 남들로부터 인정받기도 어렵고 무시와 좌절을 겪기 쉽다.

다른 문화 속에서 살 때는 그 문화의 이상이나 가치를 알고 어떻게 행동해야 하는지 아는 게 중요하다. 그렇다고 매번 수동적으로 받아들이는 식이면 발전이 없다. 매순간 주눅이 든 채 생활할 뿐이다. 다른 문화에 대해서 적응하려고 노력하는 만큼 스스로에 대해 알아야 당당할 수 있다. 또한 자기 문화의 역사와 배경이 된 철학을 알아야 새로운 공동 가치를 찾을 수 있고, 리더로서 비전과 정체성을 형성하는 데 도움을 줄 수 있다. 문화적 정체성이 명확하냐 아니냐에 따라 당당한 정도가 다르며 남을 설득하는 정도도 다르다.

"내 아이가 기죽지 않게 하기 위해서……"라고 말하는 부모는 아이가 정체성 확립을 통해 당당할 수 있도록 해야 한다. 그런데 한국이라는 좁은 곳에 갇혀 있다보면 다른 아이와의 경쟁으로 변질될 수 있다. 그러나 누구 앞에서도 기죽지 않는 당당함을 그저 같은 문화권 안의 누군가보다 나은 것만으로 규정짓기는 어렵다. 그 아이가 어느 자리에서도, 더구나 전혀 다른 취향이나 실력, 재주가 있는 곳에서도 기죽지 않을 수 있는지 생각해볼 필요가 있다.

정체성을 찾아 떠나는 여행

우리 부부는 아이들이 혹시나 다른 사람과 대화하다가 좌절감을 느끼지 않도록 한국 문화도 적극적으로 가르쳤다. 또 동양 문화에 대한 긍정적인 생각도 심어주려 노력했다. 한 예로 남편은 동양인이 노벨상을 받거나 성공한 이야기가 신문에 실리면 꼭 오려 가지고 와서 아이들에게 보여주었다. 시간 날 때마다 동양인의 우수성에 대해서 강조했고, 동양인이라는 사실에 자부심을 심어주었다. 한국인이 결코 무시받을 사람들이 아니라는 것도 강조했다.

어느 날 가족 모두 교회에서 돌아오는 길에 남편이 말없이 예일 법대 바로 뒤의 그로브 공동묘지(Grove Street Cemetery)로 차를 몰았다. 내가 "여긴 왜 오죠?"라고 물었더니 남편은 자신이 책을 통해 동경한 '이시가와 간이치'라는 일본 사람이 여기 묻혀 있다고 했다. 일본과 영국의 봉건제도를 비교 연구한 사람인데, 미국에 유학 왔다가 1900년에 미국 여자하고 결혼했다고 한다. 동양인이 드물었던 시절이라 편견도 심해서 그 미국 여자의 남동생들이 심하게 반대한 것은 물론 시에서까지 반대 시위를 벌였을 정도라고 했다.

"그런데 이 사람을 어떻게 알았어요?"

남편의 마음을 알면서도 이렇게 물었다. 남편은 일본 봉건제도와 영국 봉건제도를 비교하면서 그 일본 사람을 알게 되었다고 했다. 공부하려고 예일대 도서관에서 빌려온 책이 대부분 '이시가와 간이치'라는 사람이 기중한 책들이었기 때문이다. 그 책 곳곳에는 이시가와 선생이 공부하면서 친 밑줄들과 메모들이 많았다. 이것들을 읽는 과정에서 남편은 자연히 이시가와 선생의 생각과 세계관 등을 이해하게 된 것이다. 그리고 그가 얼마나 진지하고 치밀하게 연구했는가를 알게 되었다고 했다. 그 뒤 주변 사람들에게 수소문한 끝에 이시가와 선생의 조수였던 사람을 만나 그가 예일대 근처의 묘지에 묻혀 있다는 사실까지 알아냈던 것이다.

남편은 동양인으로서 미국에 온 초기 이민자들에 대한 생각이 남달랐다. 그런 동양인의 사례를 보며 남편은 당시 미국 사회의 극소수자였던 한국인으로서 자기 정체성을 다시 정립했다고 한다. 그렇게 자신의 정체성에 대해 끊임없이 고민했던 남편은 언제나 명확하게 자신을 바로 세울 수 있었고, 아이들에게도 남다른 자부심을 길러줄 수 있었던 것이다.

자기가 한국 사람이라는 것을 자각하는 데는 여행만큼 좋은 것이 없다. 나 역시 아이들의 정체성을 정립시켜주기 위해 몇몇 손주들을 한국에 데리고 왔다. 아이들은 고맙게도 할머니의 나라에 깊은 관심을 갖고 하나라도 더 배워가려고 노력한다.

스스로 알아서 한복 등 한국적인 것을 찾고, 친구들에게 가져갈 선물 하나도 자그마한 도자기 등 문화적 가치가 있는 것을 고르며, 한글을 가르쳐달라고 조른다. 그리고 다른 문화권에 가서 자신을 설명해야 되는 상황에 놓이면 으레 미국인으로서의 자신만이 아니라 한국을 이야기한다.

한국에 사는 아이들에게도 자신의 문화를 이해하기 위한 여행은 필수적이다. 특히 자신의 뿌리인 조상의 고향을 찾는 것은 매우 좋은 정체성 찾기 여행이 될 것이다.

나의 손주들은 아버지로부터 혹은 어머니로부터 고씨라는 성을 물려

받았다. 나는 아이들을 데리고 제주 고씨의 설화와 유물이 남아 있는 제주도 삼성혈에 갔다.

설화에 나오는 삼성혈을 이야기해주고 고씨의 혼에 대해 보여주자 아이들은 꽤 감동받은 눈치였다. 이로 인해 뿌리에 대한 아이들의 인식이나 자긍심도 대단해졌다. 고씨 조상이 탐라국의 왕이었다니 그 후손인 자신도 공부를 열심히 하여 왕의 후손으로 부끄럽지 않아야겠다는 생각이 생긴 것이다. 그 손주들의 부모들인 6남매도 그런 과정을 거치며 자랐다.

나와 남편은 미국 이민 초기의 한국인으로서 차별을 느낄 때마다 정체성에 대해 생각했다. 그럴 때마다 많은 고민을 했고, 한편으로는 아이들이 한국인으로서 정체성을 가지고 당당할 수 있도록 노력했다. 내 아이의 기를 살릴 때 남의 아이나 사회 따위는 생각하지 않아도 된다고 짐작하지만 결코 그렇지 않다는 것을 우리는 이민 생활 속에서 뼈저리게 느꼈다.

아이들의 자신감과 한국인으로서의 자부심은 미국에서 한국인을 어떻게 생각하느냐, 특히 한국에 관한 뉴스와 직접적으로 상관이 있었다.

우리 아이들뿐만 아니라 성장기의 이민 2,3세들은 대부분이 그랬다. 그 아이들은 한국 성을 달고 사는 한 어디를 가도 한국인이라는 꼬리표가 따라다니기 때문에 자신이 속한 사회가 한국을 어떻게 받아들이느냐, 한국을 어떻게 생각하느냐에 따라 늘 감정이 흔들리곤 했다.

내가 동암문화연구소를 열어 미국 사람들에게 적극적으로 한국을 알리며 한편으로는 2세, 3세들에게 한국 문화를 소개했던 이유나, 남편이 한국이나 동양에 관한 좋은 뉴스를 빠짐없이 아이들에게 소개해주었던 이유가 바로 여기에 있었다. 그가 속한 사회의 수준이 높아야만 소속된 개인도 인정을 받고 또 그들의 자신감도 커지는 것이다. 남편이 아이들에게, 그리고 아이들이 그들의 아이들에게 한국 문화를 경험하게 했던 것도 아이들의 정체성인 한국인이라는 사실에 자부심을 키워주기 위한 것이었다.

정체성과 문화적 역량(Identity & Cultural Competence)

국제화 시대에 걸맞은 지도자가 되려면 문화적 정체성과 그에 맞는 문화적 역량(Cultural Competence)이 필요하다.

문화적 역량이란 1993년부터 미국의 이중언어 교육자들이 만들어낸 개념이다. 교육자들은 "다문화 속에서 사는 사람은 적어도 자기 나라 문화는 물론 두 문화 이상에서 살 수 있는 능력, 즉 문화적 역량을 가지는 것이 필수적이다"라면서 문화적 역량을 강조한다. 또한 언어를 두 가지 이상 할 수 있는 아이가 IQ도 높다는 뇌전문가나 교육심리학자들의 연구 결과도 많다. 뉴저지주립대학에는 문화역량연구센터(Cultural Competence Studies Center)가 있기도 하다.

이런 문화적 역량의 힘은 홍주가 겪은 사례에서도 확인할 수 있다.

홍주는 클린턴 정부 시절 인권 차관보가 되고 나서 43개국을 한 번 이상 가게 되었다. 정부 관료로서 가기 때문에 협상을 제대로 하기 위해서는 각 나라의 사정을 잘 알아야만 했다. 그러나 유연하고 풍부한 문화적인 역량 외에도 자신의 문화와 역사에 대해 아는 것이 중요했다.

홍주가 인권 차관보를 그만둔 직후 9.11 테러가 터졌다. 9.11 테러 사건이 미국의 일방주의적 태도 때문이라는 지적이 있자, 홍주의 경험을 묻는 강연 요청이 쏟아졌다. 그동안 홍주가 여러 나라를 돌아다니며 직접 눈으로 보고 경험한 끝에 문제를 해결한 방식에 대해 알고자 했던 것이다. 그 해결 방식이란 폭넓은 문화적 역량과 더불어 정체성을 체득한 것에 있었다. 이때 그런 경험을 한 사람이 홍주 외엔 드물다는 사실도 사람들이 알게 되었다. 문제를 해결하기 위해서는 다른 나라의 사정을 잘 이해하고 받아들이면서도 상대방에게 자기가 누구인지 알려주어야 하는데, 그러자면 무엇보다도 자기가 어떤 사람이라는 것부터 잘 알아야 했다.

홍주가 인도네시아의 동티모르에 갔을 때의 일이다.

많은 사람들이 인도네시아의 반미 분위기가 고조되어 위험하니 가지 말고, 만약 가더라도 신변 보호 방법을 찾으라고 홍주를 말렸다. 그러나 홍주는 태연히 웃으며 자신이 현지인과 비슷한 동양인 얼굴을 갖고 있으니 혼자 가도 별 문제 없을 것이라고 말했다. 그런데 막상 인도네시아에 도착하자 반미 분위기가 예상보다 심했다. 사람들이 홍주를 둘러싸고 따졌다.

"미국에 사는 당신은 우리가 어떤 기분으로 데모하는지 전혀 모른다."

그 말을 들은 홍주는 당당히 맞서서 말했다.

"내가 왜 모르겠습니까? 나는 한국계 미국인입니다. 우리 부모님도 공산당 치하에서 굉장한 압박을 받았던 분들로, 이미 당신들과 비슷한 경험을 하시고 자식들에게도 자세히 들려주셨습니다. 그래서 너무나도 여러분의 기분을 잘 압니다."

홍주는 인도네시아 역사와 한국과 공산주의의 싸움을 비교하면서 이야기해주었다. 그 뒤로 동티모르 사람들이 홍주의 말을 믿고 따르게 되었다.

동티모르의 반란이 아주 심각한 상황이었는데도 홍주는 무사히 외교 문제를 해결한 뒤 안전하게 미국으로 돌아올 수 있었다.

홍주는 한국인으로서 자신의 뿌리를 잊은 적이 없다. 그리고 그것을 공개적으로 말하고 다녔다. 1999년 제네바 유엔인권위원회 대표 발언에서도 "미국무장관인 올브라이트는 체코를 떠난 정치 난민의 2세이고, 나는 한국 망명자의 아들"이라고 언급했을 정도였다.

동티모르의 위기를 해결한 홍주뿐만 아니라 자기가 누구라는 걸 확실히 알고 행동한 사람들은 그전까지 자신의 약점으로 생각되던 것조차 오히려 강점으로 바꿔놓곤 했다. 그래서 동암문화연구소를 통해 아이들을 가르칠 때도 한국 문화와 함께 다른 문화도 비교할 줄 아는 눈을 길러주려 애썼다. 그런 가르침을 받은 아이들이 앞으로 국제 사회에 나갔을 때 진정한 리더가 될 것이라고 확신했다.

유학을 하든 이민을 가든 모국과의 관계가 끝나는 것이 아니다. 그 사회의 다른 사람들이 내 정체성을 모국과 연관시키기 때문이다. 미국에서 태어난 한인 2세까지도 부모의 나라와 연관시켜서 갈등을 겪을 정도임을 생각한다면 위와 같은 생각은 참으로 위험하다. 한국인 2세, 3세들은 지금도 "너는 언제 한국으로 돌아가느냐"와 같은 질문을 받는다.

만약 해외에 아이들을 유학시키려는 생각을 갖고 있다면 한국의 이미지가 올라가지 않고는 본인들이 아무리 우수해도 제대로 대접받지 못한다는 사실을 알아야 한다. 그래서 내 아이의 발전을 위해 남의 아이가 포함된 이 사회를 발전시켜야 하고, 또 아이에게 한국인으로서의 문화적 정체성을 확실히 심어줘야 하는 것이다.

국제화 시대에는 한국에서 자란 아이들이라도 여러 나라 사람들을 부하 직원으로 거느리는 리더 역할을 해야 될 확률이 높다. 그럴 때 문화적 정체성이 불분명하면 남 앞에서 당당할 수 없고, 다른 문화의 직원을 통합시키기는커녕 불필요한 혼란만 일으키기 쉽다.

다양한 문화를 가진 사람들 간에 접촉할 확률이 높아진 국제화 시대. 그런 시대에 맞는 리더로서 갖춰야 하는 문화적 역량은 바로 자신의 뿌리인 문화와 다른 문화가 하나 이상 섞인 환경에서 살 수 있는 능력을 뜻한다. 그런 환경에서 살 수 있는 능력을 기르게 된다면 '자기'를 더 알게 된다. 자기를 남하고 대조했을 때 우리 문화가 다른 문화와 어떻게 다른지도 더 잘 알게 된다.

문화적 역량은 권위로 내리누르는 것보다 다른 사람에게 더 큰 영향력을 발휘한다. 상대방이 자신을 이해하고 있다는 기분이 들면 나도 상대방을 살피고자 하는 마음이 커지는 법이다. 이런 자발적 동조가 모여 리더십도 생기는 것이다.

AL 4.
덕이 재주를 앞서야 한다
(Virtues over skills)

"그 사람이 위대한가 위대하지 않은가는 그가 얼마나 남에게 도움을 주었는가, 덕을 베풀었는가에 달려 있다."

아버지가 내게 주신 평생의 가르침이다. 자기만 좋고 자기만 성공하기를 바라면 절대로 위대한 사람이 될 수 없다는 것을 아버지는 내가 아주 어렸을 때부터 깨닫게 하셨다.

특히 어머니께서는 "재승덕(才勝德)하면 안 된다"는 말씀을 귀가 따가울 정도로 되풀이하셨다. 이런 가르침은 자연히 나의 생각과 생활에 스며들어 내 자식들에게까지 이어졌다.

나는 아이들이 재능보다는 덕이 있는 사람으로 자라기를 바랐고, 그렇게 키우려고 노력했다.

사람들은 내 아이들이 크나큰 성공을 이루었다고들 말한다. 하지만 나는 눈에 보이는 성공보다 아이들이 내면적으로 이룬 성공에 더 후한 점수를 주고 싶다. 내 아이들이 자신들의 재능에만 의지해 자신의 명성을 높이는 것에만 집중했다면 내가 이토록 아이들을 대견해하고 뿌듯해했을까 반문해본다.

내 아이들이 다른 사람들의 찬사를 받을 수 있었던 것도 재능이 덕을 앞서지 않았기 때문이다. 그리하여 사람다운 인생을 누렸기에 가능한 일이었다.

되돌아오는 배려의 놀라운 힘

앞서도 말했지만 큰아들 경주는 어려서부터 어려운 사람이나 사회 정의에 관심이 많았다. 진로를 결정해야 할 때 의대를 택한 것도 어려운 사람들을 돕기 위한 것이었다.

뒷날 경주가 매사추세츠주 보건후생부장관이 되었을 때, 사람들은 그가 성공했다고들 말했다. 그러나 나는 그것을 성공이라고 생각하지 않았다. 만일 그것이 성공이라면 경주는 아무도 쳐다보지 않았던 분야를 연구하기로 했을 때 이미 성공한 것이다. 나는 그의 이력에서 성공이라고 할 수 있는 것은 그 결과가 아니라 과정이라고 생각했기 때문이다.

경주는 의학 분야에서 약자를 위한 일을 찾으며 매번 최선의 선택을 해왔다. 자식이 사회적으로 인정받고 존경받는 것이 부모로서 자랑스럽지 않은 것은 아니지만, 내가 아이들을 자랑스러워하는 이유는 아이들의 현재 위치와 결과가 아니라 바로 다른 사람을 위해 어떻게 살 것인가를 고민하고 노력하는 과정에 있다.

큰아들만이 아니라 나의 아이들은 법학을 하건 의학을 하건 미술을 하건 자기 분야에서 어떻게 남을 위해 살 수 있을지를 항상 고민해왔다. 사회를 좀더 좋게 변화시키는 데 자신의 힘을 쏟으려 했고, 그것을 다른 사람들이 성공이라고 말했을 뿐이다.

둘째딸 경은이가 아동법으로 인정받는 것도 마찬가지다. 당시 아동법은 법조계에서나 사회적으로 인정받는 분야도 아니었고, 쉽게 성공을 거둘 수도 없는 미지의 분야였다. 경은이처럼 명문 대학에서 법을 전공한 사람은 이름난 거대 로펌에 취직하여 부와 명예를 거머쥐는 것이 보통이었다. 경은이도 처음에는 유명 판사의 보좌관으로서 사무실에 다니며 인정받는 변호사로 활동했다. 그러나 경은이는 그 생활에서 가치를 느낄 수 없다고 했다.

"어떤 때는 아침에 일하러 회사에 가기가 너무 싫은 거예요. 그러다 한 번은 빈민가 아이들을 변호하게 되었는데, 신기하게도 그 일을 하러 갈 때는 저절로 힘이 났어요. 잠을 안 자도 쌩쌩하게 돌아다니고, 다시 밤새워 변호 준비하고……."

이렇게 고백한 경은이는 아동법을 다시 공부하기로 했다. 법이라는 것이 기본적으로 어른 기준으로 정해져 있으니 힘없는 어린아이들을 보호해줘야겠다고 마음먹었다는 것이다. 경은이가 이민법을 연구한 것도 같은 이유에서였다.

"아동법 하나만도 벅차지 않니? 왜 그렇게 바쁘게 지내는 거니?"

부모로서 측은한 마음에 한마디 하면 경은이는 살짝 웃으며 말했다.

"엄마 닮아서 그렇지요. 그리고 저보다 힘든 상황에서도 바쁘게 지내는 사람이 얼마나 많은데요!"

경은이가 하버드대에 다닐 때의 일이다.

당시 경은이는 공부 못지않게 자원 봉사도 열심이었다. 매주 몇 시간씩 맹인인 법대 대학원생에게 책을 읽어주는 일이었다. 그런 자원 봉사를 할 때는 으레 자신을 자세히 소개하지 않아서 경은이나 상대방인 맹인 학생도 서로를 모르는 상태였다. 그런데 하루는 감기가 심하고, 시험 때문에 도저히 봉사하러 갈 상황이 안 되었다. 어쩔 수 없이 그런 사정을 메시지로 남기려다가 이름을 비롯하여 서로에 대해 더 자세히 알게 되었다.

알고 보니 그 학생은 이틀은 캐나다 토론토에 있는 대학 강사로 나가고 사흘은 하버드 법대 대학원 수업을 들으며 바쁘게 살고 있었다. 경은이는 그 학생의 이야기를 듣고 너무 놀랐다고 고백했다. 자신은 그 학생이 다른 사람의 도움만 받고 있는 줄 알았다는 것이다. 신체적으로 장애가 있는데도 자기보다 더 열심히 살고 있다는 것에 경은이는 크게 자극받았다고 했다.

다음부터 경은이는 공부하다가 졸리고 힘들 적에는 그 맹인 학생을 떠올리면서 마음을 다잡았다고 한다.

'그 사람은 눈도 안 보이는데 하버드에서 법과 공부를 하고 토론토에서 여기까지 비행기로 통근까지 하는데, 성한 사람인 나는 더 감사하고 열심히 해야겠다.'

경은이는 자신이 그에게 준 도움보다 얻은 것이 더 많다며 고마워했다. 나중에 경은이는 자기 생일날 그 맹인 학생한테서 아주 예쁜 스카프를 선물받았다. 눈이 안 보이는 사람이 고른 스카프라고 할 수 없을 정도로 독특하고 멋졌다. 아름다운 색을 보지 못하는 사람이 그런 선물을 했다는 것에 경은이는 다시 한 번 놀랐다. 그리고 그 뒤에 숨은 노력과 다른 사람에 대한 배려에 또 한 번 감동했다.

베푸는 삶에서 오는 깨달음

완벽하게 태어난 인간은 없다. 사람들은 누구나 살아가는 동안 다른 사람을 만나 서로 부족한 부분을 채워주고 좋은 점을 보고 배우면서 자신을 완성시켜나간다. 나는 우리 아이들이 덕을 베푸는 과정을 통해 그런 소중한 깨달음을 얻었다고 생각한다. 여기서 얻는 깨달음은 재주가 앞선다고 얻어질 수 있는 것이 아니다.

미국에서는 대학 입학 신청서에 어떤 봉사를 했는지, 얼마나 많이 남을 위해 살고 있는지에 대해 쓰는 난이 따로 있다. 이것은 그 사회가 자기만의 이익을 떠나 남에게 봉사하는 삶, 남과 더불어 살아가는 법을 중요한 가치로 여긴다는 증거다. 또한 그것이 교육적으로도 큰 효과가 있음을 암시한다.

얼마 전부터 한국에서도 봉사 활동이 대학 입학 시험에 중요한 자료가 된다고 들었다. 하지만 아직 많은 학생들이 학교 성적에 반영된다는 사실에만 신경 써서 진정한 봉사와 베풂이 아닌 시간만 때운다는 얘기도 들었다.

한 번이라도 진심을 실어서 봉사 활동을 하면 원래의 목적대로 큰 교육적 효과를 거둘 수 있을 텐데 싶어 안타까운 마음이 든다. 그것은 아마도 한국 문화에서 아직까지 봉사의 가치가 잘 알려져 있지 않기 때문이리라.

세계에 내놓을 리더를 기르고자 한다면 부모들은 잘 생각해야 한다. 부모의 마음가짐과 생활 자세를 보고 아이들이 봉사의 의미를 배울 수 있기 때문이다.

부모가 직접 자신의 실천을 통해 아이들의 오해를 바로잡아주라는 말이다. 재능이 아무리 뛰어나도 덕이 없다면 그 재능은 세상에서 건설적으로 쓰이지 못한다. 따라서 눈에 보이는 재능과 성적에만 급급해 '나부터 하고 보자', '나만 잘되면 그만'이라는 사고방식이 아닌, 남을 돕고 배려하는 속에서 내 아이를 길러야 한다.

이렇게 남을 돕다보면 오히려 자기가 얻는 것이 많아진다. 상대방과 관련된 일들의 이모저모를 살피게 되어 자연적으로 시야가 넓어진다. 또 그것을 통해 훌륭한 사람으로 사회적인 인정을 받게 된다.

AL 5.
창의적인 통합력이
아이를 살린다
(Creative synchronism)

요즘 가정이며, 학교며, 직장에서 가장 강조되는 능력이 바로 창의력일 것이다. 창의력은 전혀 연결되지 않을 것 같은 것을 새롭게 연결 짓는 능력이다. 어떤 것을 보더라도 통합해서 생각할 줄 아는 것이 바로 창의력이다. 그 때문에 창의적인 사람은 때로 엉뚱하다는 말도 듣는다.

우리가 젊었을 때만 해도 뭐든지 정확한 사람을 높이 평가했다. 그런데 지금은 정확한 것보다는 유연한 사고를 할 줄 아는 사람을 더 높이 평가하는 시대다. 특히 다문화권에서는 매일같이 요구되는 덕목이다.

즉, 예전에는 1+1=2 식의 원리를 그대로 정확히 적용할 줄 아는 사람이 필요했다면, 지금처럼 급속히 변하는 세상에서는 여러 다른 문화를 흡수 통합하여 자기에 맞게 창조해내는 사람을 더욱 바라는 것이다. 이런 시대에 어울리지 않게 과거 고정관념에 휩싸여 아이들의 자유로운 통합력을 무시해서는 안 된다.

제3의 원리를 찾아내는 한민족의 창의력

문화적 성향만 놓고 보면 다른 나라보다 우리 민족이 가진 창의적인 통합력이 높은 것 같다. 학문적인 것을 따지기 전에 지극히 생활적인 측면에서 사람들이 자기 건강을 챙기는 것만 봐도 알 수 있다. 한국 사람들 중에는 서양 의학이나 한방 어느 한쪽만 고집하는 사람을 찾기 힘들다. 양방 병원을 찾아 진단을 받고 한의원에 가서 약을 지어오는 사람도 많다. 그렇게 한국 사람들은 서로 이질적인 요소를 통합하여 받아들이고 활용하는 능력이 다른 문화보다 발달되어 있다.

한국의 문화적 토양 자체가 창의적 통합력이 높다는 것은 남북한, 중국, 일본의 사회 구조, 미술, 음악을 다 비교해서 나온 결과이기도 하다.

예를 들어 우리의 〈문자도〉를 살펴보자. 〈문자도〉는 한민족만의 독특한 그림으로 다른 문화에서는 볼 수 없는 작품이다. 문자와 그림이 그런 식으로 배치된 미술 작품은 우리 한민족밖에 없다. 또 우리의 민화인 〈금강도〉 같은 걸 봐도 도교, 불교, 샤머니즘 등 이질적인 요소들이 모두 통합적인 시각에 의해 조화로운 형태로 녹아든 것을 알 수 있다. 이 그림에는 사람이나 동물과 같은 산봉우리가 있는가 하면(무속의 정신) 절간도 보인다(불교). 산이 도교의 이상향이니 말이다.

우리 고유의 판소리 경우도 마찬가지다. 소리의 높낮이가 아주 극단적인데도 참 조화롭기만 하다. 어떤 때는 극히 저음으로 편하게 들렸다가 어떤 때는 더할 수 없이 높은 음이 격하게 나오기도 한다. 서양 음악 악보에 넣을 수조차 없는 흐름이다. 그래서 중국과 다른 악기가 생겨날 수밖에 없었다. 그런데도 판소리는 참으로 자연스럽고 조화롭게 우리 귀에 들리니 만든 이나 듣는 이 모두에게 음악을 슬기롭게 조화시키는 창의적인 통합력이 있다고 하겠다.

서양 사람들이 동양 하면 떠올리는 음양의 개념만 봐도 우리 한민족은 남다른 통합력을 가지고 있다. 알다시피 음이나 양은 중국에서 나온 개념이다. 그런데 우리는 그 개념에서 둘을 조화시켜 제3의 요소를 만들어냈다. 우리 고유의 부채, 북, 절, 문 등에서 쉽게 볼 수 있는 삼태극 문양이 바로 그것이다. 일본에서는 음양이라는 개념 자체를 중요시하지 않으며 음과 양을 합치시키지도 않는다. 그렇지만 한국에서는 음양을 한데 합쳐 조화를 시킬 뿐 아니라 그 조화를 이루어낸 제3의 힘을 깍듯이 인정한다. 태극기에 나오는 음양의 조화보다 민간에서 흔히 보이는 삼태극이야말로 우리 한민족의 특성이자 대표적인 상징이 아닐까 싶다.

이렇듯 다른 곳으로부터 전달받은 것도 그대로 수용하는 법 없이 창의적인 통합을 하는 것. 그것이 우리 민족의 문화적 역량이다. 전통 역시 그러한데, 예를 들어 상속법을 살펴보면 중국에서는 옛날부터 아들들이 모두 평등한 비율로 상속권을 가졌다. 그런데 일본에서는 장자 또는 막내 한 사람에게 재산을 모두 상속한다. 다시 말하면 재산을 똑같이 나누는 원리와 전혀 나누지 않는 두 가지 원칙이 보였다. 그에 비해 한국에서는 큰아들이 전 재산의 절반과 나머지 절반을 자식 수로 나눈 일부까지 상속받았다. 결국 장자가 가장 많은 재산을 가질 권리가 있었다. 〈화회문기〉(분재기, 分財記)를 보면 1650년대에는 딸들도 아들들과 똑같이 재산을 나눈 기록이 있다고 한다. 이렇듯 한국 전통법은 일본식도 중국식도 아닌 제3의 원리를 찾았다. 완전한 균등 분배인 중국식이나, 나누지 않고 한 자식에게만 독점시키는 일본식의 서로 다른 두 원리를 통합해서 적절한 조화점을 찾은 것이다.

우리 전통의 힘을 알고 믿어라

우리 역사를 지정학적인 면에서 생각해보자. 우리 겨레는 북으로는 만주, 몽고, 서로는 중국, 인도, 동으로는 일본 등 개성들이 강한 큰 문화 사이에서 서로 다른 문화를 잇는 통로 구실을 했다. 예컨대 중국의 법, 인도의 불교 미술 등이 우리 한반도를 거쳐 일본에 소개되었다.

그 와중에도 우리는 수천 년 우리 고유의 문자, 말, 음악, 의식주의 풍습을 발전하고 보전한 민족이다. 밖에서 오는 여러 문명을 반도 안에 사는 국민의 요구와 항상 절충해야 하는 입장이었다. 우리 겨레가 유연성이 없었다면 오늘날까지 독립된 문화로 존재할 수 없었을 것이다. 현재 700만 한민족이 170여 개 나라에서 살고 있다는 사실만으로도 우리 민족의 유연성, 통합력이 어떠한지 입증하는 셈이다.

세계에서 아시아의 힘, 저력에 주목하기 시작한 이래 대한민국만의 뛰어난 발상에, 특히 경제 발전에 대한 연구가 왕성하다. 나는 아이들과 나 자신은 물론 한국계 2세들의 주체성에 관련된 일이라 한·중·일 비교문화 연구에 오랫동안 매달려왔다.

하지만 한국 내부에선 많은 이들이 창의적 통합이라고 하면 으레 서양의 사례만 찾으며 한국의 전통은 창의력과는 전혀 상관없는 것으로 생각하기도 한다. 이런 자세는 자신의 기본적 문화 역량을 인정하지 못하는 데서 오는 것이다.

한국인은 이미 기본적인 삶의 자세로 창의적 통합력을 풍성하게 가지고 있다. 문제는 그 같은 우리의 특징을 자각하고 적절하게 발전시키는 일이다. 그런데 한국민 스스로가 자신이 가진 창의력의 가치를 깨닫지 못하고 불신하는 태도가 단단한 편견으로 자리잡아 창의력의 발전을 방해하고 있다.

창의적 통합력을 발전시키려면 무엇보다도 많은 다른 문화를 알고 인간이 선택할 수 있는 범위(option)를 알아야 한다. 사람으로서 가질 수 있는 많은 다른 가치관과 풍습을 알게 되면 자연히 고정관념이나 선입견에서 벗어날 수 있다. 그래야 세상 모든 것들의 가치를 제대로 보고, 비록 이전에 연결되지 않았던 것이라도 새로운 의미를 만들어내기 위해 연결시킬 수 있게 되는 것이다. 또한 창의적 통합력을 키우려면 자신이 생각한 것에 대해 항상 재평가를 하고, 잘못이 있으면 그 잘못을 인정하고 고칠 만한 지혜와 용단이 필요하다.

창의력은 한순간 번뜩이는 아이디어라고 생각하기 쉬운데, 이는 어디까지나 꾸준한 관심과 연구 속에서 모든 일의 원칙을 알 때 이루어낼 수 있다. 또한 창의력은 나 자신만이 아닌 주변도 돌아보는 자세에서 나온다. 항상 관찰하고 메모하며 지속적인 관심을 기울이는 것이다. 또 나 혼자만이 아닌 다른 사람의 안위나 행복을 꾀할 때 그 책임의 무게가 창조를 이루어낼 수 있다. 옛날이나 지금이나 효자, 열녀, 모성애로 인한 창조력을 볼 수가 있다. 요컨대 책임 완수의 정신에서 창조력이 나오기도 한다.

무에서 유를 만들어내는 창의력을 키워라

내 아이들이 다인종 세계에서 살아가면서 얼굴색이 다른 사람을 위해 변호하고, 그들을 위해 봉사하며, 돕기 위해 실질적으로 무엇을 해야 할까 고민하고 이를 행동으로 옮긴 것 또한 창의적 상상력이 발휘된 예라고 생각한다.

나의 아이들 또한 많은 이민 세대들이 겪는 가치관의 차이에 억눌려 그 자리에 멈춰 설 수도 있었다. 유색인종이라는 편견으로 자신을 남들과 다르게 대하는 태도에 화내고 자칫 자신의 목표를 포기하는 모습을 보였다면 오늘의 자리에 이르지 못했을 것이다.

뻔한 고정관념에 휩싸여 세상을 바라보면 지금처럼 창의성이 중시되는 지식정보 사회의 리더로 설 수 없다. 리더가 창의성이 없이는 급속히 변화하는 세상에서 한 공동체(단체, 조직, 마을 등)를 유지할 수 없다.

리더 자신이 창의성이 없으니 다른 조직원들이 창의성을 가지고 있다고 해도 그것을 올바로 평가할 수 없다. 결국 그런 리더가 있는 공동체는 성장은커녕 아예 생존조차 할 수 없게 될 것이다.

갈수록 심각해지는 지식정보 사회의 경쟁에서 이기기 위해서는 창의성이 필수적이다. 모든 조직이 창의적인 인재를 찾고 있다. 그런 인재들과의 경쟁을 뚫고 리더로서 인정받기 위해서는 다른 사람보다 먼저 창의성을 보여주어야 한다.

무에서 유를 만들어내는 상상력을 넘어서 하나에서 열을, 열을 넘어선 그 무엇을 만들어내는 창의적 상상력과 앞을 내다볼 수 있는 비전을 가질 수 있도록 부모와 사회가 노력해야 한다. 이것이 우리 아이들을 진정한 리더로 키워낼 수 있는 길이다.

AL 6.
역사적이고 세계적인 안목과 시야를 길러라
(Historical & Global worldview)

지금까지 진정한 리더가 되는 데 필요한 요건들을 차례로 살펴보고 있다. 모두 7가지 요건 중 이미 5가지나 보았으니 나름대로 어떤 시각을 갖게 되었을 것이다.

진정한 리더는 단지 실력이나 재능이 전부가 아니라는 것. 그리고 국제화 시대와 지식정보 사회의 변화된 가치관에 맞는 리더십 요건이 따로 있다는 것. 그리고 그 요건은 자기 눈앞이나 자기 주변만 살펴서는 커지지 않는 큰사람의 됨됨이와 관련되어 있음을 깨달았을 것이다.

이미 눈치 챘겠지만 진정한 리더는 큰사람다워야 한다. 그러려면 먼저 역사적이고 세계적인 안목과 시야를 갖추어야 한다.

"Think globally and Act locally(생각은 크게, 행동은 작게)."

고홍주 학장이 2005년 예일 법대 신입생 환영사로 했던 말 가운데 한

대목이다. 매일매일 하는 일도 세계적인 안목으로 보라는 뜻이다.

우리는 우리 한국의 역사에 대해서 세계적인 시각으로 볼 줄 알아야
한다. 섣부른 비판이나 맹목적인 긍정보다도 다른 나라와 비교했을 때
우리의 특성이 무엇인지 보다 넓은 시각을 가지고 객관적으로 볼 줄 알
아야 한다. 그래야 세계 속에서의 우리 위치를 잘 알고 다른 나라를 더
잘 이해할 수 있으며 그들과의 관계 설정도 올바르게 할 수 있다.

과거를 통해 점쳐보는 한국의 가능성

여러분은 우리 한민족의 역사를 세계적인 관점에서 본다면 무엇을 가
장 큰 특징으로 꼽을 것인가.

주변국인 중국이나 일본과 비교했을 때 그 특징이 더 명확해질 것이
다. 한반도에서는 고려 500년, 조선 500년이 이어지는 식으로 비교적 긴
세월 동안 나라가 유지되었다. 똑같은 시대에 일본에서는 막부가 여러
차례 바뀌고 중국에서도 집권층 출신 민족이 일본만큼이나 자주 바뀌었
다. 하지만 한국에서는 단 두 개의 성씨인 왕씨와 이씨 왕국이 바뀐 셈이
다. 조선 왕조 500년은 근대 세계 역사상 가장 긴 왕조라 한다.

전체 역사를 길게 놓고 봐도 그렇다. 지정학적으로 한국은 작은 반도
국가여서 외부 침략이 많았는데도 반만년이나 살아남은 것을 보면 한국
사람들에게는 남다른 탄력성이 있는 것이다. 나라가 작은 것을 탓하기보
다는 그런 역사에 자부심을 가져야 한다. 우리 자신을 긍정적으로 정의
내릴 때 모든 고난을 겪을 박력도 생긴다.

이 밖에도 다른 나라와 비교해보면 자부심을 가질 만한 것들이 많다.

중국 전통 사회를 보면 천제(天帝)라고 해서 황제가 신의 아들로 되어

있다. 일본에서도 천황(天皇)이라고 해서 태양의 여신의 후손인 성직으로 알기는 마찬가지다. 그런데 한국은 그렇지 않다. 한국은 왕(王)으로서 높이 떠받들기는 했지만 일본이나 중국처럼 완전히 신격화한 권위가 부여되지 않았다. 그만큼 일본이나 중국에서는 최고 지도자의 힘이 막강하다는 말이다.

반면 한국에서의 왕은 공정해야 했다. 그렇지 않으면 백성의 인심을 못 얻어 오랫동안 왕의 자리를 지키고 있을 수 없었다. 따라서 법도 굉장히 공정한 편이었고, 만약에 문제가 있으면 왕이 보다 현실적으로 공정하게 조정했다. 어쩌다 누가 사형받을 만한 죄를 저질러도 다른 누군가가 정당한 근거를 가지고 계속 상소하면 여러 번 판결이 뒤집어졌다. 그래서 마침내 무죄 판결까지 얻어내고야 마는 사례는 과거 『추관지(秋官志)』나 『심리록(審理錄)』에 많이 기록되어 있다.

예를 들어보자. 17세기라고 기억된다. 어떤 부부가 여름밤 등불 아래 베를 짜면서 이런저런 얘기를 나누다가 갑자기 티격태격하게 되었다. 그런데 그날은 이야기가 더 격하게 흘러서 갑자기 남편이 화를 누르지 못하고 옆에 있던 등을 잡아 던졌다. 운이 없게도 부인이 머리를 맞고 그 자리에서 죽어버렸다. 사람을 죽였으니 살인죄로 남편이 사형받을 상황이었다. 그런데 남편의 사정을 하소연하는 상소문이 올라갔다. 그 내용은 다음과 같았다.

"그 집에 아이가 넷인데 벌써 엄마가 죽었으니 아버지밖에 없는 것이 아닙니까. 그런데 아버지마저 사형을 시키면 앞날이 창창한 아이 넷이 오갈 데 없는 고아가 되니 부디 살려주십시오."

또다른 이유로 그 부부가 원래 의좋았던 것을 들어 살인이 고의가 아니라고 변호했다. 결국 그 남편은 사형을 면했다.

한국에서는 이처럼 엄격한 법 적용에서도 인정이 많았다. 그런 식으로 왕이나 다른 지도자들이 민심을 얻었으며, 무조건적인 신격화로 마구 권력을 휘두른 것은 아니었다.

이런 역사적인 사실에 주목한다면 지도자의 참된 요건도 찾을 수 있다. 즉, 사람들의 마음을 얻는 공정한 정의가 있어야 진정한 지도자로 인정받게 된다는 것이다. 이 밖에도 역사적인 안목을 갖는다면 과거의 지도자로부터 소중한 리더십의 원천을 많이 얻을 수 있다.

새로운 것, 서양의 것, 남의 것에서 좋은 사례를 찾으려 하기보다는 역사적인 안목을 가지고 다시 전통을 살펴보기 바란다. 그러면 앞에서 진정한 리더의 자질로 강조한 정체성도 확립되면서 자기 자신에게 맞는 리더십 아이디어도 얻게 될 것이다.

다문화 속에서 생활할 수 있는 능력

역사적인 안목을 가지라고 해서 과거에만 얽매이는 보수주의자가 되라는 것은 아니다. 자신의 문화적 자부심이 너무 높아 다른 나라의 문화를 무시해도 좋다는 것도 아니다. 전 세계적으로 통용될 만한 리더의 자질로서 역사적인 안목과 다양성을 존중하는 세계적인 시각을 지니라는 말이다.

앞으로는 다민족의 사람들이 섞여 일할 확률이 더욱 높다. 그런 시대에서 진정한 리더가 되려면 자기 팀원들의 다양성을 인정하고 서로 잘 이해해서 결속력이 높아지도록 이끌어야 한다.

이런 자질을 기르자면 어릴 때부터 다른 문화를 경험하게 해주고, 그것을 서로 비교하며 이해할 수 있는 기회를 마련해줘야 한다.

우리 가족의 경우에는 미국 사회에서 범종파 여름 종교 캠프에 여러 해 참여하여 활동한 게 큰 도움이 되었다. 연합 한흙교회를 다닌 것도 많은 것을 깨닫게 하였다. 인종이나 출신 나라는 다 달라도 종교라는 하나의 울타리 안에서 서로 대화하고 접촉하며 이해할 기회가 많았다. 주일이나 종교 캠프 등에서 아이들은 자연스럽게 다른 문화를 경험했고, 그 차이를 이해하고 자기의 특성을 다른 문화권 사람에게 이해시키는 법을 자연스럽게 익히게 되었다.

우리 집 뒷마당에는 미끄럼틀과 모래밭이 있어서 동네 아이들이 자주 놀러오곤 했다. 그때 남편과 나는 집에서는 영어를 쓰지 않았다. 어차피 영어는 아이가 밖에서 더 정확히 배울 것이니 한국어를 충실히 가르쳐야 자부심을 키워주는 것이라고 생각했다. 아이들에게도 집에서는 한글책을 읽도록 했다. 덕분에 집에서는 한국어만 하던 우리 아이들은 동네 미국 아이들과 놀면서도 버릇대로 한국어를 하며 놀았다.

하루는 옆집에 사는 미국인 아줌마가 오더니 서투른 발음으로 운동화가 뭐냐고 물었다. 자기 아이가 자꾸 운동화를 사달라고 하는데 그게 무슨 말인지 알아야 사주지 않겠느냐는 것이었다. 아이들은 가르쳐주지 않았는데도 자기 정체성을 지키면서 다른 문화의 아이와 교류하는 방법을 알아서 터득하고 있었다.

학교에서 했던 특별 활동도 도움이 되었다. 아이들은 각자 취미가 맞는 아이들끼리 모여 놀다보니 서로의 집을 오가면서 교류했다. 그 집에 가서 보고 들은 것, 하다못해 나눠 먹은 음식 등 직접 다양한 경험을 하면서 자연스럽게 차이를 부정적이 아닌 긍정적으로 보게 되었다. 그러면서 나와의 관계에 도움이 될 수 있도록 남과 조화를 이루는 법을 깨우치게 되었다. 이것이 바로 리더에게 필요한 능력이 아니고 무엇이겠는가.

동네에서 잘하면 그 동네 아이들을 통솔하는 정도이고, 학교에서 잘하면 그 학교 아이들을 통솔하는 정도일 것이다. 그렇지만 사회에 나와 리더로서 더 높이 올라가면 갈수록 세계 각국에서 모인 뛰어난 사람을 통솔해야 하는 위치에 서게 된다. 그때는 다양한 문화를 이해하고 조율해서 조화를 이뤄내는 능력이 없다면 자신이나 조직이 버텨낼 수 없다.

AL 7.
진실한 마음을 얻는
대인관계의 힘을 경험하게 하라
(Relationship)

재주가 뛰어난 많은 사람 가운데 진정한 리더로 바로 서기 위해서는 앞에서 지적한 여섯 가지 외에 다른 능력이 더 필요하다. 나는 그 능력으로 다른 사람에 대한 배려와 인정을 바탕으로 한 대인관계 능력을 꼽고 싶다. 대인관계는 그저 능력이 많은 사람이나 지위가 높은 사람들과 잘 지내는 방법을 익히는 것이 아니다. 지식의 높고 얕음을 가리지 않고 모든 사람들과 인정을 주고받는 것이 진실한 대인관계다. 특히 자원 봉사는 대인관계와 떼려야 뗄 수 없는 관계에 있다.

진실한 마음을 얻는 법

셋째아들인 홍주는 예일 법대학장이 되었을 때 학교 직원 70여 명을 자기 집에 초대했다. 그때 어떤 백인 할머니가 눈물을 글썽이며 "내가 예일 법대에서 30년을 일했는데 한 번도 학장 집에 초대받은 적이 없다"고 우리 며느리한테 몇 번이나 고맙다고 했다. 정원사에서 시작해 경비하는 경찰, 비서들과 사무직원까지 모두 자기 집에 데려다가 점심을 먹인 학장이 홍주가 처음이었던 것이다. 홍주는 한 가족 같은 사람들을 대접하는 게 당연하다고 한 일이었지만 말이다.

첫째아들 경주는 6년간 보스턴이 자리한 매사추세츠주 보건후생부 장관으로 있을 때 6000명이 넘는 직원을 거느려야 했다. 경주는 매사추세츠주에서 보건 정책의 도움과 영향을 받아야 하는 곳은 어디든 빠짐없이 방문하여 사람들을 만났다. 자기가 관리하는 병원, 그 밑의 조직들까지 전부 돌아보았다.

하루는 결혼식장 몇 군데를 다녀온 것 같다며, 하도 여러 사람과 악수해서 손이 아플 지경이라고 하였다. 또 에이즈 예방 운동으로 전염을 막기 위해 새 주삿바늘을 환자들에게 나누어주는 주삿바늘 교환 프로그램(Needle exchange program)까지 일일이 돌아보고 사람들의 심정을 살피며 격려하였다.

경주는 취임식 때 자신이 소수민족인 만큼 소수민족의 보건과 건강에 힘쓰겠다는 입장을 자기 정책의 하나로 당당히 발표하였다. 그래서 돈이 생기기만 하면 중국인, 한국인, 베트남인, 멕시코인, 흑인 등 소수민족들에게 조금이라도 더 의료 혜택이 돌아가도록 노력했다.

언어 장벽 때문에 받을 것도 못 받는 중국인, 한국인, 베트남인들을 위하여 그들이 당연히 찾을 수 있는 권리나 법률 정책 등을 모조리 번역하여 식당 같은 곳에 대대적으로 붙이기도 했다.

매사추세츠주의 보건후생부는 미국에서 가장 오래 된 보건후생부로,

130년 역사를 자랑한다. 그 때문에 매사추세츠주에서 무슨 정책을 시행하면 다른 주들도 지켜보다 따르는 경우가 많다. 결국 경주는 암 예방 정책 강화, 필요 없는 수술 줄이기 등 한국인은 물론 미국 전역에 걸쳐 소수민족에 대한 의료 정책을 향상시키는 데 앞장섰다.

막내 정주는 직접 수화를 배워 농아들을 돕기도 하였다. 한번은 새로 취임한 목사님의 부인이 큰 병을 앓은 끝에 청력을 잃고 수화를 하시는데, 정주가 그분 앞에서 수화로 인사하는 것이었다. 나는 내심 매우 놀랐다. 그 애는 농아나 소수민족 모두 자기 행동과 상관없이 타고난 모습 때문에 편견의 대상이 되고 있다고 생각했다. 그래서 농아들의 심정을 이해하고 꼭 돕겠다는 결심을 했다고 한다. 그는 농아들을 위한 여름 캠프에서 그들을 대변해주는 신문 기자로 자원 봉사를 하기도 했다. 그때 그들과 의사소통하기 위해 수화를 배웠다고 한다. 나중에 알게 되었지만 둘째딸 경은이도 장애가 있고 가난한 사람들의 변호를 맡으려면 수화를 알아야 한다며 야학에서 배웠다고 했다.

우리는 늘 약자를 돕는 것을 강조했다. 내가 우리 어머니에게서 받은 가르침이기도 했다. 내가 어렸을 때는 사업가 아버지 때문에 집에 가정부, 정원사, 요리사, 기사 아저씨 등 일손이 여럿 되었다. 어머니는 우리에게 이런 당부를 하셨다.

"그 사람들은 아버지, 어머니가 필요해서 고용한 사람들이니 너희들이 일을 시키면 안 된다."

어머니가 워낙 철저히 주의를 주신 탓에 우리는 그들에게 부탁 한 번 하지 못했다. 길에서 우리 자가용이 지나가도 차를 타는 것은 절대 금지였다. 부모님과 같이 나들이를 갈 때나 따로 부모님 지시가 있을 때만 차를 탈 수 있었다. 그때만 해도 서울의 자가용은 한 손으로 꼽던 때라 늘 친구들이 "저기, 너희 집 차가 오는구나. 차를 태워 달래라" 하고 권하곤 했다. 나는 그때마다 "우리 부모님을 위한 차이지 젊은 우리가 타는 것이 아니야"라고 말했고, 친구들은 이해가 안 간다는 표정을 짓곤 하였다.

우리 부모님도 그랬고 우리 부부와 아이들도 모두 사람들을 존중하며 정으로 대하려고 노력해왔다. 사람들한테 잘하고 친구도 많은 편이다. 친구가 많으면 배우는 것도 많고 힘도 되며 도움을 주고받는 것도 많다. 대인관계가 리더의 중요한 자질인 것은 두말할 필요가 없다.

남편이 갑자기 세상을 떠났을 때도 나는 대인관계의 중요성을 느꼈다. 남편의 부고를 낼 때만 해도 어떤 사람이 올까 걱정이 많았다. 그런데 변호사며 의사며 아이들 친구와 동료들이 몰려들었다. 다들 비행기를 타고 와야 하는 먼 곳에 사는 사람들이었다. 아이들에게 물어보니 친구들끼리 이런 일을 당하면 서로 돕기로 했다는 것이다. 그래서 서로 전화 연락을 해서 다 함께 오게 된 것이었다.

미국 사회는 동료 부친상에는 안 가는 것이 보통이다. 그런데 남편 추도식에는 너무 많은 사람들이 와서 예일 법대 강당이 비좁아 보일 정도였다. 남편은 보스턴에 자리한 하버드 대학에 묻혔는데, 장례식이 있던 예일대에서 자동차로 세 시간 거리였다. 그런데 거기에도 사람들이 꽉 차 있었다.

비가 억수같이 오는데도 사람들은 텐트를 마련하고 기다리고 있었다. 그 많은 사람들을 보면서 나는 남편이나 아이들이 쌓은 대인관계의 폭과 깊이를 느낄 수 있었다. 명문 대학을 졸업했다고 해서, 명문 대학의 교수라고 해서 다 그렇게 되는 것은 아니다. 남다른 생각과 진심으로 사람을 대했기에 가능한 일이었다.

나는 명문 대학을 졸업한 우수한 한국계 젊은이들이 일류 직장에 들어가긴 하는데 오래 버티지 못하는 사례를 너무 많이 들었다. 그것은 어느 수준부터 경쟁력으로 작용할 사람 됨됨이와 인간관계 면에서 준비가 부족했기 때문이다.

마지막은 인간관계다

명문 대학을 졸업하고 일류 직장을 다니다가 중년에 실직한 한국계 젊은이 가운데 지금도 기억나는 이가 있다. 그가 동암문화연구소가 주최한 젊은 전문인 회의에서 한 말이 인상 깊었다. 그는 명문대에서 MBA 학위를 받고 좋은 회사에 취직이 되었다. 그 뒤 회사를 바꿀 때마다 월급도 두 배로 오를 만큼 계속 승진했다. 그러나 자리가 높아지고 한 2년간 승진에서 밀리다가 실직하기에 이르렀다. 그는 실직한 이유에 대해 곰곰이 생각했다. 그는 이런 말을 했다.

"인생이란 100미터 경기가 아니고 마라톤이었습니다."

그 회사에서 오랫동안 일하는 사람들은 꼭 자기보다 능력이 있다거나 더 열심히 일해서가 아니었다. 그보다는 업무가 끝난 뒤에 동료와 취미 활동도 같이 하고 상담도 하는 등 인간관계를 다졌다는 것이었다. 그제야 그는 자기가 그런 대인관계에 소홀했다는 사실을 깨달았다고 했다.

세상에는 똑똑한 사람이 많다. 그러나 혼자 똑똑하다며 활개를 친다고 성공하는 것은 아니다. 자기 일만 묵묵히 한다고 되는 것도 아니다. 공동체 속의 한 사람으로 누구에게나 편안하게 다가가고, 더 나아가 자신으로 인해 남을 더 빛나게 하고 도움이 될 때 그는 리더로 인정받는다.

미국의 대법원에는 열세 명의 판사가 있고 그들에게는 서너 명의 보좌관이 있다. 대법원 보좌관이란 법대 졸업생들이 갈망하는 자리이기도 하다. 미 대법원은 사람의 목숨을 죽이고 살리는 중대한 판결을 하는 곳이므로, 보좌관 선택 과정도 여느 직장 입사나 법대 입학에 비할 수 없을 만큼 치열하다. 그 보좌관이 또 우수한 아이들 중에서 따로 뽑아 일을 맡길 정도다.

그런데 보좌관 지원서만 보면 전부 다 명문대에 우수 장학생이고 다른 서류 부분에서도 최고라서 누구를 골라야 할지 모를 정도라고 한다. 그 안에서 보좌관 자리를 뽑을 때 역점을 두는 기준은 따로 있다고 한다. 대법원 판사들이 서로 의견이 다를 때는 다른 판사들을 설득하거나 지지를 얻기 위해 보좌관들이 교섭을 맡는다.

따라서 보좌관에게 필요한 것은 대인관계의 능란함, 즉 판사들이 얼마나 그 보좌관의 말을 믿어주며 협력할 수 있느냐이다. 그런 만큼 인품을 갖춘 믿을 만한 사람이 아니면 하기 어려운 일이다. 똑똑한 것으로 말하자면 모두가 최고 수준인 법학도이니 만약 자신의 똑똑함만 믿고 거만하고 이기적인 행동을 한다면 친구들에게 신뢰받기 힘들다. 결국 공부 잘하고 우수한 아이도 인간관계가 우수하지 못하면 그 자리에 오르기 어렵다는 말이다. 나는 그런 경우를 이미 여러 번 보았다.

인간관계의 시작은 부모로부터 출발한다

능력은 뛰어나지만 눈치가 없거나 사람됨이 부족하여 남과 잘 지내지 못하는 사람. 어느 부모도 자기 자식을 그런 사람으로 만들고 싶지는 않을 것이다. 그렇다면 대인관계가 좋은 아이는 어떻게 만들어야 할까.

모든 관계의 기본인 부모 자식 간의 관계부터 탄탄해야 다른 관계도 탄탄해진다. 부모를 따르지 않고 믿지 않는 아이가 어떻게 남을 신뢰하며 남에게 자신을 신뢰하게 만들겠는가.

그런 만큼 능력보다 인간 됨됨이가 더 중요하다는 것을 강조하고 싶다. 됨됨이를 갖추어야만 다른 사람들의 믿음도 얻는다. 대인관계를 얄팍한 술책으로 이어가려는 사람은 리더가 아니라 지도받는 사람이 된다. 진정한 리더는 너그럽고 진실해야 한다.

또한 부모라면 아이에게 멘토로서 어떻게 해야 되는지를 깨달아야 한다. 멘토는 상대방을 한 인간으로 존중하면서 그를 위해 진실한 충고를 아끼지 않는 사람이다. 그 충고가 아이에게 잠시 아픔을 주고 관계를 악화시킬 수 있더라도 나보다는 아이를 위해서 기꺼이 이야기해줄 수 있는 그런 부모 말이다. 따끔한 지적이라도 진심이 담겨 있으면 아이는 결국 그것을 하나의 가르침으로 받아들이고 부모가 바라는 쪽으로 따라오게 되어 있다. 지금까지 살펴본 7가지 요건들에 대해서도 마찬가지다.

여러분이 멘토로서 스스로 모범을 보이고 아이에게 진실되게 이야기한다면 진정한 리더십의 7가지 요건은 결국 하나의 이야기로 모아질 것이다. 제각기 다른 분야에서 성공을 거두었지만 결국에는 '인간'의 이야기로 설명된다는 말이다.

Chapter 3_ 자녀 교육은 사이언스가 아니라 아트다

아이가 수영을 잘하고 싶어한다면 직접 물에 들어가 수영해야 한다. 수영을 배우려는 마음이 아무리 간절하다고, 또 부모가 조언을 해주거나 책을 읽거나 남이 하는 것을 지켜본다고 수영을 잘할 수는 없는 것이다. 경험만큼 좋은 교육은 없다. 아이에게 원하는 것이 있으면 말로 가르치려 들지 말고 현장에서 경험하고 보고 느끼게 하라. 배려하라고 말하기 전에 봉사 활동을 하게 하고, 하고 싶은 일이 생기면 그 일을 하는 사람을 직접 만나보게 하라. 이것이 내가 아이들을 키우면서 얻은 교훈이다.

절대, 희생하지 마라

첫아이를 임신했을 때 나는 부모님의 모습이 먼저 떠올랐다. 그리고 좋은 부모에 대해 생각해보았다. 그 순간 육아뿐만 아니라 생의 초점도 다시 맞춰지는 느낌이었다.

우리 부모님은 자식에게 무조건적인 희생을 하셨던 분들은 아니다. 당신들 자신의 삶에 충실하면서 존경받을 만한 생활 태도와 세계관으로 자식들에게 모범이 되어주셨다.

나는 그때 배운 가르침들을 중심으로 내 인생을 다시 가다듬어보았다. 내게 임신은 부모로서 그리고 한 인간으로서 걸어야 할 길, 해서는 안 될 것, 해야 하는 것 등을 정하는 소중한 계기가 되었다.

보통 임신하면 기쁨도 생기지만 좋은 엄마가 될 수 있을지에 대한 걱정도 따르게 마련이다. 그때 자칫 마음을 잘못 먹으면 진정으로 좋은 부모와는 거리가 멀어질 수도 있다. 부모는 무조건 아이를 위해 희생해야 한다는 생각을 할 수도 있다. 하지만 나는 그렇게 생각하지 않는다. 그보다 부모는 진심으로 아이의 앞길을 보여주고 아이가 그 길로 바르게 나아갈 수 있도록 도와주는 최고의 멘토가 되어야 한다.

최고의 멘토가 되려면 먼저 부모 자신부터 인생의 목적과 목표를 늘 생각하며 거기에 맞는 경험을 쌓고 바람직한 모범을 보여야 한다. 아무리 부모라도 본받을 만한 것이 없다면 자식들이 그 가르침을 따를 리 없기 때문이다. 부모 자신이 먼저 목적의식을 갖고 일관성 있는 행동을 하면서 계속 노력해야 한다. 그것이 바로 부모로서의 삶이다.

오히려 무조건적인 희생보다 힘들 수도 있다. 그러나 우리가 사랑하는 아이를 진정으로 위하는 길이다.

그런 점에서 지금 아이에게 행하고 있는 것들이 진정 사랑 때문인지 생각해봐야 한다. 혹시 좋은 부모라면 아이를 위해 무조건 자신을 희생해야 하는 것이라는 가치관에 휩싸여 아이에게 집착할 뿐, 자기 자신이 존경받고 사랑받을 만한 부모가 되는 일에는 소홀하고 있지 않은가. 또 아이를 자신이 이루지 못한 꿈을 대신 이루어줄 대리인으로 보지는 않는가 곰곰이 생각해볼 일이다. 아이는 부모에게서 태어났지만 결코 부모의 소유물은 아니다. 아이를 사랑한다면 부디 '좋은 엄마 콤플렉스'에서 벗어나 아이의 진정한 멘토가 되기 위해 노력해야 할 것이다.

아이를 위해 절대 희생하지 마라

회갑 때 아이들이 60명이 넘는 선배, 동료, 친지, 제자와 함께 나에 대한 글을 담아 기념집을 만들어주었다(Koh, Howard Kyungju Koh, 1992).

글 하나하나에 추억이 다 서려 있지만, 특히 작은딸 경은이의 글은 개인 전혜성의 가치관과 부모로서의 내 교육관을 잘 담고 있어 새삼 놀라움과 고마움을 느끼게 된다.

남편의 회갑 때는 아이들과 함께 회갑 기념 수필집을 만들었다. 회갑 잔치의 목적은 바로 그의 삶을 찬양하고 축복해주는 한편 그의 생활철학과 가치관을 후손들에게 전하는 것임을 함께 나눌 수 있었다.

아직도 나는 어머니에게서 많은 것을 배우고 있다. 하지만 우리를 키울 때 심어주신 중요한 교훈 3가지는 이미 가슴에 새기고 있다. 어머니는 열아홉 살에 고향인 한국을 떠나 유학길에 오르신 뒤 힘든 일을 많이 겪으셨다. 한국전쟁으로 미국에 발이 묶인 뒤 결혼하고 외국 땅에서 6남매의 어머니가 되셔야 했고, 집안일까지 몇 가지 일을 병행하며 석사와 박사 학위를 따셨다.

어머니는 새롭지만 때로 두렵거나 버거울 수밖에 없는 도전들에 늘 당당히 맞서셨다. 내 생각에는 그때마다 다음 3가지 좌우명에서 나온 힘으로 버티신 것 같다. 이 좌우명들은 어머니가 입 밖으로 드러내진 않으셨지만 삶으로 직접 보여주신 것들이다.

좌우명 1 모든 상황에는 대립이 있기 마련이다 : 감사하라

거실의 피아노 위에는 큰 백자병이 하나 놓여 있다. 도예가 심상호 선생의 작품인데, 한쪽에서 보면 전통적인 꽃병 모양이지만 다른 쪽은 의외로 울퉁불퉁한 모양이다.

하루는 어머니가 이 꽃병을 아주 조심스레 닦으며 말씀하셨다.

"완벽하지 않은 완벽의 아름다움이 한국 미술의 본질이며 특징이다."

어머니는 이렇게 사물 하나도 열린 생각으로 보셨다. 우리가 무엇을 만들 건 완벽하지 않지만 그러한 것들이 모여서 큰 완벽을 이룬다는 의미의 말씀을 해주셨던 것이다. 어머니의 가르침대로 주위를 돌아보자 모든 것들이 완벽하게 보이기 시작했다. 꽃꽂이할 때 비대칭으로 핀 꽃을 볼 때도 완벽하지 않은 완벽을 보게 되었다.

주위에서 벌어지는 대립 상황과 갈등을 보면 처음엔 짜증이 나고 혼란스러울 수밖에 없다. 하지만 어머니는 그런 대립 상황도 모두 껴안을 수 있는 보다 큰 틀을 보여주셨다. 이제는 나도 오히려 이런 음과 양 같은 대립 상황을 중요한 삶의 계기로 받아들이게 되었다.

대립 상황들은 중요한 삶의 전환점이 되곤 한다. 예를 들어 무엇으로부터 독립하고 싶은 마음과 의지하고 싶은 마음이 대립할 때 어느 쪽을 선택하느냐에 따라 그 결과가 달라진다.

어머니에게 대립 상황들은 그저 갈등이 분출되는 상태만을 뜻하지 않는다. 그보다는 새로운 평화를 만들거나 아이디어를 제공하는 계기가 된다. 예를 들어 어머니는 다른 부모들이 재미 한국인 2세 자녀를 키우는 것과 관련된 여러 도전과 대립 상황을 접하고 그것을 어쩔 수 없는 갈등이라며 그냥 놔두시지 않았다. 20년 넘게 한국계 미국인 회의를 열어, 1세대 부모들과 2세대 자녀들의 삶에서 발견되는 도전과 갈등 상황을 대화로 해결하기 위해 노력하셨다.

나는 사회 활동을 하는 어머니와 살림하는 어머니 모습에서 동양적인 음양의 지혜를 엿보았던 것 같다. 태극기의 중심인 태극 문양에서도 볼 수 있듯 반대되는 것들이 근본적인 조화를 이루는 것처럼.

좌우명 2 모든 것에는 아름다움이 있다 : 그것을 발견해내라

어머니는 놀라울 정도로 모든 것에 감사하신다. 신혼 때의 일이다. 하루는 어머니가 우리 집에 오신다고 해서 마중을 나갔다. 어머니를 택시로 모시게 되었는데 그때 우리는 백 번도 넘게 다녀봤던 브로드웨이 주변을 지나고 있었다. 나는 그저 단조로운 가게 풍경을 스쳐 보내고 있는데 어머니는 같은 것을 보고도 감사하게 여길 것들을 찾아내셨다.

어머니는 한국인 과일 가게 상인들이 마치 한국의 돌잔치, 혼례식, 환갑상에 올린 과일처럼 과일을 진열해둔 모습에 감탄하셨다. 또 내가 매일 무심코 지나쳤던 옷가게들을 보고 어머니는 "어쩌면 저리도 멋지게 색을 배치했을까"라고 놀라워하셨다. 나는 어머니의 은혜로운 눈을 통해 비로소 아름다움의 눈을 뜬 것 같아 귀한 선물을 받은 기분이었다.

좌우명 3 모든 사람에게는 고귀함이 있다 : 귀하게 여겨라

어머니는 다른 사람의 삶, 가족, 도전들에 대해 듣는 것을 너무 좋아하신다. 어머니와 여행할 때마다 그곳 사람들이 살아가는 이야기를 듣고 가족 이야기를 나눈다. 그렇게 해서 나라면 그저 '세탁소 아저씨'나 '관광 안내인'이나 '옆에 선 사람'으로 알고 넘어갈 수 있는 사람들도 어머니에게는 모두 온기와 진심을 나누는 사람들이 되고 만다.

어머니가 다른 사람들과 소통하고 싶어하는 열정은 끝없이 나를 감동시킨다. 한번은 부모님이 프랑스에 가셨을 때 일부러 그곳의 내 펜팔 친구 집을 방문하고 오셨다. 내 펜팔 친구는 중국계 프랑스인으로 그의 가족들은 영어나 한국어를 거의 못하는 사람들이었다. 그런데도 부모님은 미국으로 돌아와서 그들과 너무나 멋진 밤을 보냈다고 말씀하셨다. 나는 말이 통하지 않는 사람들끼리 어떻게 의사소통을 했는지 궁금했다. 부모님은 중국 요리를 먹으러 가서 저녁 내내 냅킨에 한자를 써서 주고받으며 이야기를 나눴다고 했다. 그냥 적당히 인사만 할 수도 있었던 자리였다. 아니 여행 중이라 피곤하다며 몇 번 한자를 주고받다가 말 수도 있었다. 아마도 상대방도 그런 상황을 이해했을 것이다. 그러나 부모님은 그러지 않으셨다. 내 펜팔 친구 가족의 이야기를 하시는 어머니의 표정을 살폈다. 따뜻한 교류에서 오는 기쁨이 얼굴에 가득하셨다. 그것으로도 상대방이 우리 부모님과 어떤 분위기에서 어떻게 시간을 보냈는지 충분히 알 수 있었다.

경은이의 글에서 나는 아이들이 부모의 삶을 아주 구체적으로 관찰하고 알며 잘 기억한다는 사실을 발견했다. 아이들은 이렇듯 부모의 모습에서 구체적인 역할 모델을 찾고 스스로 교훈을 얻기도 한다. 그리고 멘토에게 조언을 받아 실행하듯이 자신의 문제에 적용한다.

꼭 많은 것을 공부하거나 학력이 높아야만 멘토가 될 수 있는 것은 아니다. 대신 멘토가 되려면 아주 세심해야 한다. 아이들은 지극히 평범하고 일상적인 곳에서 멘토의 모습을 발견한다.

그러므로 부모는 아이를 교육시키기 전에 스스로가 먼저 바로 서고 열심히 사는 모습을 보여주어야 한다.

우리가 멘토로 거듭나고 싶다면 이 점을 명심해야 한다. 우리의 말 한 마디 한마디나 행동 하나하나가 아이에게 그대로 전달된다는 점을 기억하자. 작게는 생활 습관부터 크게는 삶을 대하는 태도까지 거울처럼 아이들에게 반영된다. 따라서 부모는 자신의 모든 행동을 재점검하지 않을 수가 없다. 부모가 아이의 역할 모델이라면 부모가 어떻게 해야 할지는 답이 분명한 셈이다.

아이를 진정한 성공과 행복을 누리는 리더로 만들고 싶다면 그에 맞는 부모가 되어야 한다. 존경받는 부모 밑에서 자란 아이는 자연스레 리더의 덕목을 습관으로 가질 수 있다. 그 아이에게 부모는 평생의 멘토로 자리할 것이다.

깨달은 그 순간 시작하자

그렇다면 아이에게 본보기가 되는 인생을 살기 위해 지금 당장 무엇을 할 것인가. 흔히 거창한 것을 떠올릴지 모르지만 어려울 것 없다. 오늘 저녁 TV를 끄고 공부하는 아이 옆에서 간단한 잡지라도 읽는 일에서부터 시작하자.

전업 주부든 직장 여성이든 쉽게 실천할 수 있는 것에서부터 하나씩 시작하는 것이 좋다. 독서, 운동, 취미 등 자신이 좋아하는 것을 찾아 하나씩 실천에 옮기면 그 자체로 아이에게 모범이 된다.

우리 어머니는 한시도 가만히 앉아 쉬지 않으셨다. 친척들이 놀러와도 늘 뜨개질로 식구들의 겨울 옷을 짜곤 하셨다. 시간을 낭비하지 않으려는 어머니의 부지런함에 나도 영향을 받아 아이들을 키우고 집안일을 할 때도 책을 들고 다니며 짬짬이 읽었다.

무엇이든 작은 것이라고 가볍게 보지 말고 자신이 주도할 수 있는 일부터 시작하면 된다. 단, 너무 쉽다고 나중에 여유 있을 때 몰아서 하겠다는 생각은 금물이다. 아이의 성장은 어느 한 시기만 잘 넘기면 되는 그런 종류의 것이 아니다. 일상의 경험을 통해 아이는 성장한다. 그 아이의 일상에 가장 밀착되어 있는 부모가 아이 인생의 동반자로 바로 서기 위해서는 변화의 필요성을 깨달은 바로 그 순간부터 시작해야만 한다.

봉사 활동이든 종교 활동이든 자신이 현재 하고 있거나 충분히 좋아할 수 있는 일부터 골라서 시작해야 한다.

우리 집에서는 우리 부부의 종교 생활이 아이들에게 많은 도움이 되었다. 우리 부부는 아이들이 어렸을 때부터 주일 예배에 데리고 다녔다. 1968년부터 해마다 여름이면 뉴햄프셔의 산 속에서 열리는 종교 캠프에 간 것도 아이들 교육에 정말 큰 도움이 되었다.

여름 캠프 장소까지는 집에서 일곱 시간이나 운전해서 가야 할 정도로 멀었다. 그래서 나는 미리 아이들이 좋아하는 김밥을 싸가지고 갔다.

그런데 캠프에 도착해보니 300명이 넘는 사람들이 전부 백인이고 동양 사람은 우리밖에 없었다. 아이들은 낯선 경험인 데다가 유일한 동양 사람이라는 사실에 당황해서 어쩔 줄을 몰랐다.

그때 내가 집에서 싸온 김밥을 내놓았다. 당시만 해도 미국에서는 김밥이 생소한 음식이어서 서양 사람들에게 이상하게 생각될 수도 있었다.

하지만 나는 전혀 눈치를 보지 않았고, 그런 내 모습에 아이들도 당당함을 되찾았다. 그 김밥이 캠프장에서 화제가 되었다.

다른 서양 아이들과 김밥을 나누어 먹으며 아이들도 차츰 긴장을 풀어갔다. 뒷날 아이들은 그때 그 김밥 맛이 유난히 좋았다고 말하곤 했다.

우리 부부는 여름 캠프에서도 적극적으로 다른 사람들을 가르치는 자리를 만들었다. 아이들과 그 가족이 함께하는 종교 캠프에서 엄마 아빠가 동양 역사와 종교, 문화를 가르치는 선생 역할을 하자, 우리 아이들도 우리 부부를 존경하고 자랑스럽게 여기는 눈치였다. 미국에서 동양 사람으로 살면서 그 사실을 핸디캡이라 생각하기보다는 오히려 그것을 우리만이 가진 특권으로 만들었던 것이다.

우리 부부가 무슨 대단한 사회 개혁을 해서 아이들이 존경심을 품게 된 것은 아니다. 다만 아이들도 같이 경험할 수 있는 자리에서 부모를 사회의 일원으로 객관화시켜 바라볼 수 있는 계기를 만든 것이 중요했다.

우리 부부가 다른 사람들을 가르치고 또 여러 사람이 우리 동양 문화에 대해 호기심을 보이자, 우리 아이들 또한 그 모습을 본받아 유치원생이나 초등학생들을 가르치는 봉사 활동을 했다. 아주 나중의 일이지만 둘째딸 경은이 부부는 그 캠프의 학장으로도 뽑혔다.

우리 아이들은 매년 이 캠프에서 자기들 스스로 재미있는 합창이나 연극을 기획하여 공연했고, 많은 사람들에게 찬사를 받았다. 부모로서는 이러한 모습을 보는 게 매우 뿌듯하고 자랑스러운 일이 아닐 수 없었다. 재미있는 사실은 서양 사람들이 우리 가족을 단순한 동양 사람으로 보지 않고 '고씨 집 사람들'로 인정하고 긍정적으로 받아들이게 되었다는 것이다. 무엇보다 중요한 점은 이 과정을 통해 우리 아이들 하나하나가 모두 리더십을 발휘하기 시작했다는 사실이다.

아주 미약한 것일지라도

이렇듯 부모가 보기에는 아주 미약한 것일지라도 그것이 아이들에게

주는 영향력은 대단히 크다.

앞서 말했던 어느 한인 부부의 아이들과 우리 아이들은 자부심에서 서로 달랐다. 그것은 부모가 아이를 위해서 얼마나 희생하느냐 하는 데서 온 차이가 아니다. 부모가 아이를 덜 사랑하고 더 사랑하고의 문제는 더더욱 아니다. 부모가 아이 앞에서 매사에 긍정적이고 신념과 자신감을 보이느냐에 따른 결과라고 생각한다.

다음은 큰아들 경주가 초등학교 4학년 때 쓴 글이다.

나는 한국계 미국인이다. 한국에 대해서는 잘 모르지만 내가 존경하는 부모님께서 한국 사람이라는 사실을 자랑스러워하시니 한국은 틀림없이 훌륭한 나라일 것이다. 고로 나도 코리안 아메리칸임을 자랑스럽게 생각한다.

다시 한 번 강조하지만 모범을 보이라는 말이지, 위인이 되라는 것은 아니다. 아이보다 한 발 앞서 상황을 이끌며 작은 것 하나라도 느끼고 배울 만한 모습을 보이면 된다.

아이들이 책을 읽는 것을 싫어한다면 싫어하는 대로, 좋아하면 좋아하는 대로 부모들이 먼저 책을 읽으면 된다. 체력이 약한 아이를 두었거나 운동을 좋아하는 아이를 둔 부모라면 또 그 부모대로 스스로 운동하는 모습을 보여주면 된다.

아이들이 본받았으면 하는 것과 자신이 좋아하는 것을 찾아 아이들에게 한결같은 모습을 보여주는 것이 중요하다. 그래야 가랑비에 옷 젖듯이 자연스럽게 아이들이 부모의 가르침을 내면화하고 존경하게 된다.

존중하는 부부가
부모로도 성공한다

부부가 서로 존중하는 모습은 아이들에게 결정적인 영향을 미친다. 부부간에 존중하는 이런 태도는 한국적 가족주의 풍경 중의 하나다. 한국적 가족주의라고 하면 흔히 가부장적인 폐해를 떠올리겠지만 사실 우리가 지킬 전통의 모습에는 생각보다 훨씬 가치 있는 것이 많다.

예전 우리 부모님 세대는 부부간에도 말을 놓지 않았다. 언제나 경어를 쓰다보면 격한 말이 나올 수 있는 경우에도 보다 순화된 형태로 말하게 된다. 그러다보니 자연스레 서로의 입장을 배려하게 된다.

이렇게 존중하는 마음에서 인내도 생기는 것이다. 인내가 없으면 작은 일에도 참지 못하고 대화는커녕 매일 다투기도 바쁠 것이다.

어떤 사람들은 우리 부부가 특별히 금슬이 좋았을 것이라거나 공통점이 많았을 것이라고 짐작하곤 한다. 그러나 우리는 보통의 부부와 다를 바 없는 평범한 부부였다. 다툼이 적었던 것도 아니다. 다만 처음부터 서로의 장단점을 잘 알고 존중하며 인정하는 마음이 많았기 때문에 말다툼 이상으로 번지지 않았을 뿐이었다.

그나마도 가능하면 다툼 없이 대화로 해결하려고 애썼고, 아이들에게 모범을 보이려 노력했다.

우리 부부는 둘 다 공부하는 학자라는 공통점은 있었지만 세세한 생활 면에서는 다른 점도 많았다. 예를 들면 우리 남편은 무엇이든 굉장히 절약하는 편이었지만 나는 그렇지 않았다. 그렇다고 내가 낭비나 사치를 즐기는 사람은 아니었지만 세세한 부분에서는 남편과 충돌하는 일이 많았다. 가령 손님 접대를 할 때 나는 이것저것 많이 챙기는 편이라면, 남편은 고학생 신분을 잊지 말라고 누누이 강조했다. 나는 손님을 초대하면 보통 이상은 해야 하는 게 아니냐고 남편에게 따지곤 했다.

"그렇게 하려면 손님 부르지 마세요."

"다시는 안 부르겠소."

하지만 바로 다음 날이면 또 손님이 오곤 하였다. 손님은 부르지 않아도 오기 마련이니 말이다. 한국 식당도, 김치를 파는 가게도 없던 1950년대 보스턴에서였다.

나는 성의를 다하여 손님을 대접하려고 했다. 보기 좋게 상도 차리고 신선한 재료로 맛난 음식도 만들려다보니 일도 많았고 피곤했다. 그런데 남편은 잘했다는 칭찬은 없고 늘 야단만 치는 것이었다.

그런 점이 몹시 서운했지만 어떤 순간에도 우리 부부는 심각하게 부딪치는 경우는 없었다. 그 이유는 우리 부부가 기본적으로 서로의 차이를 인정했기 때문이다.

사업가인 아버지와 유별나게 음식에 정성을 다하는 어머니를 보고 자란 나는 어려서부터 집을 떠나 기숙사 생활을 많이 한 학자 남편의 접대 수준에 대해서는 잘 알 수 없었다. 하지만 남편과 대화를 거듭하면서 '보통 이상'이라는 기준에 대해 이해하게 되었다.

어떤 때는 어머니 말씀대로 우리 부부가 서로 반대되는 면이 있어서 그나마 이렇게 아껴가면서도 남에게 베푸는 여유를 누리며 살 수 있는 것이 아니냐는 생각도 들었다.

우리의 말다툼을 아이들에게 들키기라도 한 날에는 "한 집에 원수가 하나는 있어야 한다"는 어머니의 말씀을 생각하고 일러주기도 하였다. 나는 특히 아이들에게 우리 부부의 차이가 가정에 어떻게 플러스되는지 말해주곤 했다. 가정 안에서 남편이 아버지로서 가져야 할 권위를 내가 세워주지 않으면 안 된다고 생각했기 때문이다.

이것 또한 어머니의 역할이다. 어머니가 아이의 아버지인 남편을 존중하지 않으면 아이 역시 아버지의 권위를 인정하지 않는다. 그러면 아버지의 가르침에 힘이 실릴 수가 없다. 반대의 경우도 마찬가지다. 아내가 어머니가 되는 순간, 남편은 아내의 권위를 세워주어야 한다. 남편이 아내를 존중하고 권위를 인정해주어야 아이들도 어머니를 존경하고 따른다. 아버지가 아내를 무시하면 아이도 어머니를 무시하고, 어머니가 남편을 무시하면 아이는 아버지를 적대시한다.

부부로 살다보면 사소한 부분에서도 의견 차이가 있을 수 있다. 그러나 그것이 정도를 넘어서면 안 된다. 특히 그런 모습을 아이에게 너무 자주 보이면 아이들은 우리가 생각하는 것보다 훨씬 더 불안해한다.

부부 사이는 조건부 계약이 아니다. 부부가 된 순간 모든 문제를 대화로 풀려는 태도를 갖는다면 서로에 대한 이해의 폭도 넓어질 것이다.

사실 나도 젊었을 때는 미처 실행에 옮기지 못했다. 그러나 나이가 들면서 시간을 두고 대화로 문제를 풀다보면 좁힐 수 없을 것 같던 차이도 자연스럽게 접점을 찾는다는 것을 알게 되었다. 존중과 인내로 대화하는 것만큼 좋은 문제 해결 방법이 없다는 깨달음을 얻은 것이다.

만일 우리 부부가 미국식 개인주의의 평등을 주장했더라면 현재의 우리 가정은 존재하지 않았을지도 모른다. 너와 나는 동등한 개인이라는 인식은 서로를 존중하는 데는 앞세워야 하지만, 가정사처럼 살면서 부딪치는 문제를 풀어가는 데는 양보가 우선이 되어야 한다. 남편에게나 아내에게나 마찬가지다.

생각해보면 어떻게 그렇듯 오랜 시간을 잘 견뎌냈을까 싶을 만큼 우리 부부에게는 다른 면들이 많았다. 남편은 제시간 안에 정해진 것을 해내야 직성이 풀리는 사람이었다. 그에 비해 창조와 새로움을 좋아한 나는 때로 시간 가는 줄 모르고 집중하다 생활이 불규칙적이 되기도 했다.

그런 차이는 하다못해 책상만 보아도 드러났다. 남편은 책 한 권을 보고 나면 깨끗이 정리하는데, 나는 이 책 저 책을 한꺼번에 늘어놓고 보면서 공부하는 식이었다. 어떻게 보면 각자가 공부했던 분야인 법과 사회학의 차이라고도 할 수 있겠다.

한편 부부 사이에도 경제권을 놓고 크고 작은 다툼이 있기 마련이다. 우리 부부에게도 비슷한 일이 있었다. 우리 아버지는 내가 어렸을 때부터 금전 출납부를 쓰는 습관을 길러주셨다. 그리고 한 달에 한 번씩 용돈을 주셨는데, 어린아이였던 내게 지출과 수입을 확실히 구분해서 정리하도록 훈련을 시키셨다.

그렇게 독립적인 경제 생활을 배우며 자란 나였지만 결혼하니 상황이 딴판이었다. 우리 시댁에서는 남자가 돈 관리 하는 것을 당연하게 생각하고 있었다. 친정에서 어머니가 돈 관리를 했던 것과는 정반대였다.

결혼하자마자 남편은 내 월급까지 부부 공동 통장으로 넣으라고 말했다. 나는 내 자유를 막는 것이라며 억울한 생각마저 들었다. 마음 같아서는 결혼 초에 싸움이라도 벌여서 경제권을 가져오고 싶었지만 가만히 보니 싸움을 해서 바꿀 수 있는 것이 아니었다. 남편이 원한 것은 자기가 마음대로 할 수 있는 돈이 아니라 집안의 통제권이었다.

우리 시댁에서 남자들이 돈을 관리한다는 것은 통제권을 상징했다. 나는 통제권을 한 사람에게 주면 집안 경제도 빨리 안정되고, 태어날 아이들을 위해서도 필요한 일이라고 생각했다. 내 자유가 없어지는 점에 대해서는 물론 말할 수 없는 불편함을 느꼈다. 하지만 좀더 냉정하게 볼 때 남편이 나보다 알뜰한 것 같으니 가정 경제를 위해서 남편에게 돈 관리를 맡겨도 나쁘지는 않겠다는 생각이 들었다. 타협을 한 것이다. 나는 아예 남편에게 통장을 넘겼다.

그런데 재미있는 사실은, 집에서는 남편이 알뜰하게 절약하는 생활을 지휘했지만 연구비를 계속 따낼 수 있었던 나는 그 범위 안에서 해외여행도 많이 다니고 외식도 하는 등 자유롭게 돈을 쓸 수 있었다는 점이다. 어릴 때 아버지에게서 받았던 훈련을 비록 집에서는 발휘할 기회가 없었지만 직업적으로는 동암문화연구소 운영, 연구비 관리, 전문직 국제임원회 운영 등 여러 분야에서 쓸 수 있었다. 그때 나는 하나님은 참 공평하시고 인자하시다고 늘 감사히 여겼다. 그러나 냉정하게 따져보면 오히려 돈에 대한 마음을 접었기에 살림 걱정 없이 편하게 이런 일에 집중할 수 있었던 것이다.

아무튼 우리 부부는 그렇게 서로 달랐지만, 아이들을 어떻게 키우자는 교육 목표와 자식들에게 본보기가 되자는 마음가짐은 같았기에 인내하고 서로를 존중할 수 있었던 것 같다. 좋은 부모가 되자는 마음이 우리 부부를 타협하게 만들었고, 결과적으로 아이들도 모두 잘 자랄 수 있었다.

서로를 존중하고 인내하는 부부

어떻게 서로를 인내할 수 있을까? 상대방에게 무슨 장점이 있는지 알고 자기만 고집하지 않으면 된다. 그럴 때 장점은 장점대로 커지고 단점은 조금씩 부딪히며 없어져버린다. 나만 옳고 저 사람은 그르다고 선을 긋기 시작하면 그때부터 문제가 심해진다. 우리가 자라온 사회 환경이 다르고 가정 환경이 달라서 차이가 난다는 것을 인정하고 대화하는 것이 중요하다. 문화의 차이이지 사람됨의 문제가 아니라고 생각하면 속상할 일도 줄어든다.

한번은 집안일이 너무 많은데도 남편이 모른 척 텔레비전만 보고 있어 이렇게 물었다.

"당신은 우리 딸들이 꼭 당신 같은 사람하고 결혼한다면 어떡하실 건가요?"

그러자 남편은 서슴지 않고 이렇게 말했다.

"주먹으로 한 대 쳐줄 테야."

그 말에 나는 웃음이 나왔다. 본인이 잘못인 줄 알면서도 평소 일하는 습관이 안 되어 저렇구나 생각하자 야속한 마음도 덜해졌다.

싸워서 바뀔 수 있는 게 있고 바뀔 수 없는 게 있다. 우선 그것부터 알아보고 가려야 했다. 나는 그때 남편을 바꾸기보다는 우리 아이들을 바로 가르치는 게 더 현명한 일이라고 생각했다.

1970년 무렵의 일이다. 한번은 캐나다에서 자녀 교육을 주제로 강연을 부탁했다. 당시 나는 아이들을 많이 낳아 기른 사회학자라고 종종 교육 관련 연사로 초청받곤 했다. 그런데 집에 아이들과 남편을 두고 자주 강연을 다니려니 남편에게 미안하기도 하고 불안하기도 했다. 그래서 나는 강연을 부탁한 사람들에게 이렇게 요구했다.

"자식은 남편과 내가 같이 길렀으니 남편도 초대해주어야 갈 수 있습니다."

주최측은 여비나 숙식비가 두 사람 몫으로 늘어나서인지 선뜻 받아들이지 않았다. 그러나 내 결심을 바꾸기 어렵겠다고 느꼈는지, 다른 교회와 공동 주최로 내 요구를 받아들였다. 그렇게 해서 남편과 함께 강연길에 올랐다.

"그래, 당신은 무슨 내용으로 강연할 거요?"

비행기 안에서 남편이 내게 물었다.

나는 생각하고 있던 내용을 대충 들려주었다. 그런데 정작 강연날 나보다 먼저 강단에 선 남편이 내가 할 말을 많이 해버렸다. 이야깃거리를 빼앗기긴 했지만 당황하지는 않았다. 일단 강연을 시작하면 할 수 있는 이야기는 무궁무진하니까 말이다.

나는 주제를 바꿔 '이상적인 자녀 교육과 미국 생활에서 필요한 부부 관계'에 대해 이야기했다. 강연회라는 자리를 빌려 그동안 남편에게 하고 싶었던 이야기를 털어놓게 된 것이다. 마음속에만 간직해두었던 이야기들이었다. 그런데 재미있는 것이 남편의 반응이었다. 강연을 묵묵히 듣던 남편이 그 뒤로는 내 입장을 전보다 훨씬 더 많이 헤아려주는 것이었다.

전에는 어떤 말을 해도 뜻을 굽히지 않던 남편이 내가 강연을 통해 무슨 말을 하고 싶었는지 충분히 이해한 것 같았다. 어떤 때에는 다른 강연에서 내 이야기를 자기 식으로 풀어서 젊은 아버지들에게 들려줄 정도였다.

남편은 내 강연을 들으며 자신이 부족했던 부분을 깨닫고 미안해했으며, 나는 나대로 이해해준 남편이 고마웠다. 강연을 통해 남편의 자존심을 다치지 않으면서 내 어려움 등 많은 것을 알게 만든 것이다.

꼭 강연 같은 것이 아니라도 서로 존중하고 이해하고자 노력하면 갈등과 상처를 덜 수 있는 계기가 마련될 수 있다. 그리고 어느 날 그것이 더 깊은 사랑의 씨앗으로 영글어 있음을 확인하게 된다.

가장의 권위를 세우자

남편의 권위를 세워주라는 말을 언뜻 오해하는 사람이 있을지도 모르겠다. 어떻게 벗어났는데 다시 가부장적인 집안의 모습으로 돌아가느냐고 말이다. 그러나 나는 나쁜 버릇으로서의 권위를 말하는 것이 아니다.

아주 건강하게 잘 자라는 나무를 보면 공통점이 있다. 좌우의 균형이 잘 맞아 있다는 것. 즉, 나무는 어느 한쪽의 양분으로만 자라는 게 아니라 좌우로 고루 뻗은 뿌리에서 양분을 얻어 있는 힘껏 하늘을 우러르며 큰다는 것이다.

아이를 키우는 일이 나무를 키우는 일과 같다는 느낌을 받은 적이 많다. 보이지 않는 곳까지 신경 써서 잘 자랄 수 있는 환경을 만들어주면, 그것을 어떻게 아는지 자기에게 도움 되는 곳을 기막히게 찾아 알맞게 활용하며 자라는 게 아이들이다.

나무가 균형이 맞아야 제대로 클 수 있듯이 자녀가 바르게 성장하기 위해서는 엄마의 힘만으로는 힘들다.

무엇보다도 특히 아버지의 도움이 필요하다. 그러나 어머니와 똑같은 양분을 주는, 즉 똑같은 역할을 하는 아버지의 도움을 말하는 게 아니다.

아이의 성장을 위해서는 아버지가 아버지 나름의 역할을 해야 한다. 앞에서도 말한 적이 있지만 '한 집안에 원수 한 명은 꼭 필요하다'는 옛말처럼 아이의 성장을 위해서는 엄격하고 권위적이며 때로 아이들이 무서워할 사람이 하나는 필요하다.

어머니들은 아버지가 아버지 역할을 할 수 있도록 가장의 권위를 세워주고 대접해야 한다. 어머니가 남편의 권위를 무시하는데 아이들이 선뜻 아버지의 권위를 따를 리 없지 않은가.

우리 가족이 미국 교육부의 연구 대상이 된 것은 우리가 우리 방식대로 아이들을 키웠기 때문이다. 유학을 온 우리 부부는 미국에서 아이를 낳아 기존의 동양적인 가치관과 우리가 살고 있는 미국의 서양적인 가치관을 잘 절충해서 교육시켜야 한다고 생각했다. 그리고 우리 아이들을 통해 실제로 그 효과를 증명해 보였기에 많은 미국인들이 관심을 기울인 것이다.

서양적 가치관이 자리잡은 사회 속에서 아이들을 지키는 데 커다란 도움을 주었던 것은 바로 동양적인 남편의 역할이었다. 우리 가정에는 남편의 권위가 분명히 자리잡고 있었고, 남편은 현명하게 그 권위를 만들며 지켜나갔다.

나는 부부 싸움을 하더라도 개인 대 개인, 즉 1:1로 싸우지 않았다. 아이들 앞에서는 흉한 싸움이 될 수밖에 없기 때문이었다.

'아이들 아버지에게 가장의 권위를 세워줘야겠다.'

이렇게 생각하자 서운한 것이 생겨도 마음을 돌릴 여유가 생겼다. 남편을 위해서이기도 하지만 나와 우리 아이, 즉 가족 전체를 위해서라는 판단에서였다.

남편과 의견 차이가 있을 때도 화는 치밀어 오르지만 나는 어머니고 남편은 아버지라는 사실을 떠올리곤 했다. 희한하게도 남편이 한 개인이기에 앞서 우리 집 가장이라는 생각을 하면 분하거나 섭섭한 일도 참을 만했다.

아이들은 환경상 아버지보다는 어머니와 가깝다. 그렇기에 아버지의 권위는 어머니 손에 달려 있다고 해도 지나친 말이 아니다. 그러나 아버지가 진정한 권위의 의미를 모른다면 어머니가 아무리 노력해도 일방적인 양보로밖에 결론나지 않을 것이다. 세상의 모든 부부들이여, 일단 아이가 생기면 서로의 권위에 대해 진지한 대화를 나누기 바란다.

내 남편은 자신보다 아홉 살 아래인 나를 '애, 쟤' 하며 함부로 부른 적이 한 번도 없다. 꼭 '마미(mommy)'라는 호칭을 써서 엄마의 권위를 세워주었다.

한 동네 살던 한국인 친구들은 우리 집에서는 남편이 아내를 마미라고 부른다며 웃었다. 그러나 그 호칭 속에 어머니의 역할을 존중해주려는 아버지의 배려가 있다는 것을 그들은 눈치 채지 못했던 것이다.

부모 중 한 사람은 권위가 있어야 한다. 때문에 어떤 집에서는 어머니가 가장 역할을 할 수도 있다. 이것은 부부간에 합의해서 정할 일이다.

한 사람은 아이들을 야단칠 때 무섭게 압력을 넣고, 다른 한 사람은 그것을 다독거려줘야 한다.

부부가 이렇게 음과 양으로 서로 다른 역할을 맡아 상황을 조절하고 균형과 조화를 이루어야 한다.

우리 집에서는 아이들과 어떤 원칙을 합의한 후 어겼을 때, 권위를 앞세워 집안의 규칙을 세우는 일은 남편의 몫이었다. 물론 아이들이 지켜야 할 원칙은 이미 그 전에 온 가족이 함께 논의한 것이고, 아버지는 다만 아이들이 그것을 어겼을 때 단속하는 사람이었다.

나는 아이들의 말을 잘 들어주고 마음 상태를 살피며 어떤 문제가 생겼을 때 이해시키고 설득하는 역할을 했다. 아이들을 사랑하며 도와주고 격려하는 일을 맡은 것이다.

그러나 때로 남편이 한국을 방문하는 등 집을 비울 때면 나도 모르게 아이들을 엄격하게 대하면서 아버지 역할을 하고 있다는 것을 깨달을 수 있었다. 아버지이건 어머니이건 둘 중 한 사람은 아이들을 엄하게 다스릴 필요가 있기 때문이다.

이런 덕분에 우리 아이들은 균형을 잡으며 잘 자랄 수 있었다.

부모가 모두 있는 가정이라고 해서 문제가 없는 것은 아니다. 요즘 한국의 어떤 가정에서는 엄마가 아이들을 휘어잡은 채 모든 결정권을 가지고 아버지는 그저 밖에 나가서 돈을 벌어오는 사람이 되어버렸다고 한다. 더구나 요새는 주부들이 돈 관리를 하다보니 아이들이 아버지에게 권위를 느끼기는커녕 무시하는 경우가 많다고 들었다.

그렇다고 엄마를 권위 있는 존재로 생각하는 것도 아니다. 그저 무서워하기만 한다. 이러면 균형 있는 가정 교육이 될 수가 없다.

맞벌이를 하다보면 부모 둘 다 직장일 때문에 바빠 아예 권위나 자애로움의 역할을 나눠 갖고 말고 할 여유조차 없는 경우도 많다.

그러나 우리가 자녀 교육에 진정한 가치를 둔다면 여유를 찾을 수 있다. 우리 부부 같은 경우도 아이들이 어렸을 때는 각자 공부며 강의에 시간을 쪼개 써도 모자랄 정도였다. 매순간 100m를 전속력으로 달리는 것처럼 숨이 턱까지 차서 어쩔 줄 몰랐다.

하지만 집에 와서 피곤하다고 널브러진 모습을 아이들에게 보이지는 않았다. 아이들은 아이들대로 부모의 사랑과 관심을 기다리고 있었기 때문이다.

아이들은 부모가 피곤한데도 억지로 무엇을 하느라 부담스러워하는 게 아니라, 자신에게 진정한 사랑과 관심을 쏟아주는 모습을 기대한다. 이러한 여유를 찾고 효율적으로 아이를 키우려면 한 사람만의 힘으로는 부족하다. 역할을 나눠야 한다. 어머니가 집안일로 바쁘다면 아버지는 아이와 놀아주고 공부를 봐주는 식으로 말이다.

우리 부부의 역할 구분이 아이들을 사랑하는 마음에서였다는 것은 아이들도 알고 있었던 것 같다. 내 회갑 기념집에 셋째아들 홍주가 이런 글을 남겼다.

"아버지가 우리들의 삶에 엄격함과 규율을 가르치셨다면 어머니는 자녀들에게 창조적인 스파크를 일으키는 분이셨다."

표현만 달랐지 넷째아들 정주도 비슷한 말을 했다.

"아버지는 처음, 중간, 끝이 뚜렷한 이야기라면 어머니는 큰 바다로 흐르는 강과도 같다."

자신이 어떤 양분으로 큰 것인지 아이들은 너무도 잘 알고 있었고, 자신의 아이들에게도 우리 부모들과 똑같은 정신으로 역할을 나눠 지극한 사랑을 주고 있다. 표현하는 형태가 다르다고 사랑이 다른 것이라고 생각하지는 않았다. 오히려 슬기롭게 역할을 나눠서 자신들을 키워준 것을 자랑스러워했다.

아이 스스로 선택하게 하라

아이들 스스로 선택하게 한다는 말이 아이를 마냥 놔두라는 뜻은 아니
다. 그렇다고 엄마가 이래라 저래라 말하는 것은 효과도 없고, 다 자란
아이들에게는 통하지도 않는다. 그보다는 일단 차분히 들어주는 자세를
가져야 한다.

둘째아들인 동주가 의대 연구원으로 있을 때였다. 어떤 재단에 연구
프로젝트를 제출했는데, 동주 생각에 자신의 기획안보다 못한 기획안을
낸 사람이 연구비를 타게 되었다. 나름대로 굉장히 우수한 프로젝트를
제출했다고 자부하던 동주는 일처리가 불공평하게 되었다며 속이 상해
내게 전화를 하였다.

"그 사람이 나하고 성격은 비슷하지만 수준은 훨씬 못한 프로젝트를
내놨는데 내 연구 신청은 거절당하고 그 사람 것이 채택되었어요. 이렇

게 불공평할 수가 있어요?"

그 말을 듣고 내가 말했다.

"동주야, 이 일로 너와 그 재단의 관계가 끊어지는 것이 아니고 시작이라고 생각해봐라. 정말로 그렇게 네 연구 프로젝트에 자신 있다면 결과를 그냥 받아들여. 그리고 뒤에서 불평하지 말고 그 프로젝트를 평가한 사람한테 연락해봐라. 찾아가서 네가 왜 거절당했는지 어떤 점이 부족해서 연구비를 주지 않았는지 물어봐. 그 기회에 그 사람에게 네 프로젝트의 장점을 다시 한 번 조리 있게 설명해보려무나."

내 말에 동주는 보스턴에서 워싱턴까지 그 사람을 찾아가 자기 연구의 특징을 재단 사람들이 잘 이해할 수 있도록 설명했다. 그 결과 동주는 미국에서도 가장 큰 그 재단에서 연구비를 지원받아 자신의 첫 연구 프로젝트를 성공시켰다.

만약 다시 시도해보지도 않고 뒤에서 불평만 했다면, 동주는 그 프로젝트를 성공적으로 수행할 기회 자체를 얻을 수 없었을지도 모른다. 동주는 엄마인 나의 조언이 큰 도움이 되었다며 고마워했다. 자신의 동료들이 연구비를 지원할 때에도 그 같은 조언을 하고 있다고 했다. 그것은 내가 실제로 연구비를 신청해 여러 차례 프로젝트를 성공시킨 경험이 있었기에 해줄 수 있는 조언이었다.

내가 공부한 사회학 분야가 동주가 공부하는 의학과는 전혀 달랐지만, 학계에서 일을 풀어가는 순리는 다 비슷하기 때문에 아이에게 실질적인 조언을 해줄 수 있었던 것이다.

나는 이 경험을 소중하게 생각한다. 그래서 다른 부모들에게도 아이들 진로 문제에서 의미있는 역할을 하기 위해서라도 사회 생활을 해보고 조금은 어려운 사회과학 서적도 읽어보기를 권한다. 학문하란 소리는 물론 아니다.

큰아들 경주가 예일대 1학년에 다닐 때의 일이다. 한번은 경주가 무슨 일로 전화를 걸어 긴 시간 대화를 나누게 되었다.

경주의 기숙사 룸메이트가 그 모습을 보더니 이렇게 말했다고 한다.

"나는 참 네가 부럽다. 우리 어머니에게는 그런 문제를 입에 올리지도 못한다. 대화 상대가 되는 어머니를 가진 네가 참 부럽다."

아이들은 점점 자란다. 머리가 굵어진 아이들과 대화를 이어나가려면 아이들 생활을 이해할 수 있는 상식을 가지고 있어야 한다.

어떤 어머니가 자신은 아이들이 무엇을 하고 어떤 생각을 하는지 전혀 모르겠다고 불평하는 소리를 들은 적이 있다.

이것은 누구의 탓일까?

아이들과 함께할 무언가를 가지고 있다면 아이와 나눌 이야깃거리는 무궁무진해질 것이다.

부모가 잘 모르면 아무리 아이에게 도움을 주고 싶어도 정작 도움을 줄 방법을 찾지 못할 수 있다. 방향도 일러줄 수 없으며, 이것이 쌓이게 되면 아이나 부모 모두 좌절감을 느낄 수도 있다. 아이는 아이대로, 부모는 부모대로 자기만의 세계에서 서로를 바라볼 수밖에 없게 되기도 한다.

부부간도 마찬가지다. 아내라면 남편이 하는 일을 어느 정도 알고 있어야 의논 상대가 될 수 있다. 그래야만 남편이 고민에 빠져 있을 때 위로라도 할 수 있는 동반자가 된다.

현모양처로 살고 싶은 여성이나, 자아를 실현하고픈 여성이나 모두 끊임없이 배워야 한다는 것을 다시 한 번 강조하고 싶다.

자신의 아이들이 전문인이 되기를 바란다면 그 부모도 한 사람의 사회인으로서 전문인의 세계를 알고자 노력해야 한다. 가능하면 어머니도 사회 생활을 경험해야 아이들이 전문인이 되었을 때 코치도 해주고 자신의 경험을 나눠줄 수도 있다.

이 말은 부모에게 슈퍼맨, 슈퍼우먼이 되라는 것이 아니다. 자신의 일에 열심히 매달리다보면 그것이 곧 아이를 제대로 키우고 아이에게 도움되는 길과 맞닿아 있음을 깨닫게 될 것이다.

자녀 교육이라고 해서 뭘 가르쳐야만 하는 것도 아니고, 학교 선생님처럼 가르치는 것이 교육의 전부도 아니다. 부모는 아이의 멘토로서 자신이 경험하여 얻은 지혜들을 아이에게 제공함으로써 스스로 답을 찾도록 도와주면 된다.

우리 아이들 중 하나가 공부하다 지쳐서 1년을 쉬겠다고 했다. 나는 무조건 휴학하지 말라고 하는 대신 지금의 선택이 1, 2년 후 어떤 결과를 가져올지 스스로 상상해보라고 말했다. 그랬더니 어떤 아이도 휴학하지 않고 학업에 열중했다.

한번은 조카딸이 자신을 좋아하는 두 남자 중 누구를 택해야 할까를 물었다.

"지금 당장의 행복만을 생각하지 말고 10년 후 또는 노년이 되었을 때 누가 더 좋은 아버지이자 바람직한 동반자가 될 수 있을지 고민해봐라."

내가 조카딸에게 해준 말이다.

이처럼 아이들이 어떤 선택을 하게 될 때 그 선택이 가져올 결과를 고민해보라고 하면 아이들 스스로 보다 바람직한 판단을 내리게 된다. 그리고 스스로 고민해서 내린 결정이니 더 책임감 있게 일을 처리하게 된다.

그 선택과 결정 과정에서 얻은 지혜는 아이들 삶에서 두고두고 떠나지 않을 가르침이 될 것이다. 부모가 옆에서 일일이 이래라 저래라 나서기 보다는 교훈이 될 지침으로 아이의 앞길을 밝혀주어 올바른 길을 가도록 등대 역할을 하는 것이 좋다.

아이의 진로를 함께 고민하려면 부모도 아이가 어렸을 때부터 준비해야 한다. 자식이 제대로 자기 적성을 찾아 진로를 택하도록 길잡이가 될 준비를 하는 것이다.

나는 아이들이 스스로 자기 적성과 길을 찾을 수 있도록 늘 아이들의 이야기에 귀 기울이고 질문도 많이 했다. 하지만 어떤 대학이나 직업을 꼭 가져야 한다고 구체적으로 결론지은 적은 없다. 다만 "사람들은 왜 그 사람들을 존경하니?"라든가 "너는 왜 그 길을 가고자 하니?", "네가 이런 선택을 하면 길게 봤을 때 어떨 것 같니?"라는 식으로 우선 본인이 충분히 생각한 뒤 좋은 길을 같이 찾아보았다.

미국에서는 매년 3월이 되면 자녀들 진학 문제로 인해 부모 자식 간에 목소리를 높이는 일이 많다. 자식들은 자기가 원하는 대학이나 대학원에 입학하지 못해서 초조하고 실망스러운데, 부모들은 그런 아이들을 위로할 생각은 하지 않고 왜 더 빨리 취직하지 않거나 법대에 들어가지 못하느냐고 야단만 친다.

자기가 해낼 수 있는 수준은 아이들 스스로 더 잘 알기 마련인데 대학원 입학 수준도 모르는 부모들이 아이들을 초조하게 만드는 것이다. 어떤 아이들은 3년이면 마치는 과정을 또다른 아이들은 5, 6년이 걸려야 마칠 수도 있다. 이럴 때 아이들은 부모의 이해와 지지, 사랑이 필요하다.

아이들이 클수록 부모가 일방적인 욕심만 부리면 아이의 인생에 도움을 줄 수 없다. 부모 중 어느 한 사람은 반드시 아이들이 마음을 터놓고 상담할 수 있는 대상이 되어야 한다.

요즘에도 봄만 되면 부모와 아이들의 상담 전화가 많이 걸려온다. 지난 50여 년간 동암문화연구소를 거쳐간 많은 아이들이 졸업 후 성공하여 이제는 우리 연구소 일에 적극 참여하며 도움을 주고 있다. 이 아이들을 지켜보면서 얻은 교훈을 다시 한 번 말하겠다. 때로는 아이들의 말에 귀 기울여주고 무조건 사랑해주는 것만으로도 아이들에게 큰 힘이 된다.

학교 선택도 마찬가지다. 나는 아이들을 키우면서 그냥 공부만 잘하면 하버드대나 예일대에 갈 수 있을 거라고 생각한 적은 없었다. 아이가 목적을 구체화시켜 거기에 맞게 본인이 원하는 학교를 선택하려 할 때 부모로서 그 장단점을 조리 있게 짚어주면 아이들의 진로도 잘 정해지곤 했다.

이런 나의 교육 방식이 크게 도움 되었다고 판단했는지 우리 아이들은 자식들에게도 큰 가이드 라인만 준다. 무엇을 해야 하는지, 무엇을 하면 안 되는지에 대한 일종의 지침을 정해주는 것이다. 그리고 세부적인 것은 스스로 선택하게 했다. 아이들에게는 부모를 기쁘게 해주고 싶은 마음이 크다. 말하지 않아도 자신이 어떻게 하면 부모가 기뻐할지를 너무도 잘 알고 있다.

나는 요즘 부모들에 이어 명문대에서 공부에 힘쓰는 손주들을 보면서 지난날 아이들과의 추억들을 떠올리곤 한다. 우리 아이들이 자기 자식들을 교육하는 모습을 지켜보면서 그저 대견한 마음뿐이다. 그들 역시 주도적으로 자신의 길을 찾아낼 것이다.

아이들 문제라고 해서 부모가 만능이 될 수는 없다. 자신이 아는 것에 대해서는 상담할 수 있지만 잘 모르는 문제에 아이가 관심을 보일 때는 그 분야 전문가에게 보내서 직접 그 세계를 경험할 수 있도록 해야 한다. 만약 아이가 수학을 잘하고 실제로 수학자가 되고 싶어한다면 그 분야에서 실력을 떨치는 사람을 직접 만나게 해주는 것도 좋다.

경험하지 못한 것에 대해서 그저 추측만으로 이래라 저래라 말하는 것은 아이에게 도움이 되지 않는다. 필요하다면 여러 선배들에게 의견을 구해도 좋다. 남의 의견을 많이 모아서 결국은 스스로 앞길을 정하게 해야 아이의 자립심도 길러진다. 아이는 부모가 마련해준 실제 경험의 장을 통해서 직접 자신의 가능성과 적성도 시험해보고 자기 생각도 검증할 수 있으니 올바른 진로 선택을 할 확률이 그만큼 높아지는 것이다.

아이가 수영을 잘하고 싶어한다면 직접 물에 들어가 수영해야 한다. 수영을 배우려는 마음이 아무리 간절하다고, 또 부모가 조언을 해주거나 책을 읽거나 남이 하는 것을 지켜본다고 수영을 잘할 수는 없는 것이다.

경험만큼 좋은 교육은 없다. 아이에게 원하는 것이 있으면 말로 가르치려 들지 말고 현장에서 경험하고 보고 느끼게 하라. 배려하라고 말하기 전에 봉사 활동을 하게 하고, 하고 싶은 일이 생기면 그 일을 하는 사람을 직접 만나보게 하라.

이것이 내가 아이들을 키우면서 얻은 교훈이다. 우리는 매년 여름마다 참여한 종교 캠프에서 많은 경험을 했다. 직접 다양한 미국 사람들을 만나서 학교나 직장에서와는 다른 정을 나눌 수 있었다. 원래 교회 지도자 육성 프로그램이었지만, 우리는 그것을 통해 가장 미국적인 생활을 맛보았다. 정신적으로나 육체적으로 우리 가족 모두 재충전의 기쁨을 맛보게 해준 그 캠프를 아직도 잊지 못한다.

우리는 매년 그곳에 모여 우리에게 가장 중요한 것이 무엇인지 또 세상의 당면 문제들은 무엇인지 생각했다. 그곳에서 우리는 인간적이고 목적 있는 삶을 살고자 열망하는 역할 모델들이 될 만한 사람들을 많이 만날 수 있었다.

그곳에서 우리는 나름대로 우리 가문의 가치관과 동양적 사고방식 등을 소개했다. 예를 들어 매년 하루를 정해 캠프에 참가했던 분들 중 고인들의 추도식을 하며 그들의 명패를 만드는 일을 했다. 남편이 세상을 떠난 1989년 이듬해에 시작했는데 이제는 그곳에 50여 명의 이름과 기록들이 걸려 있다.

이러한 활동은 우리 아이들에게 많은 교훈과 함께 자부심과 긍지를 심어주었다.

동양에서 '나'라는 개념은 오늘의 '나'가 아니라 조상과 후손을 잇는 중요한 연결 고리가 된다는 것, 이러한 동양 문화의 개념을 미국 사정에 맞게 적용시켜나가면서 미국인들에게 간접적으로 동양 문화를 체험하게 한 것이다. 이러한 노력의 결과, 의도한 것은 아니었지만 우리 아이들은 미국 사회 안에서 그만큼 대우받을 수 있었다.

그냥 책으로만 알고 넘어가는 것이 아니라 다양한 생각을 가진 사람들과 직접 토론하고 자신의 신념을 실천하는 사람들을 보면서, 아이들은 훌륭한 가치를 갖고 이를 실천에 옮기는 것이 얼마나 큰 영향력을 가질 수 있는지 깨달았다. 소수민족으로 미국 사회에서 자신의 성공을 위해 물불을 가리지 않을 수도 있었지만, 자신의 재능으로 어떻게 남을 배려하고 겸손할 수 있는지 직접 보고 배울 수 있었던 소중한 기회였다.

나는 본인만 선하고 재능이 뛰어나며 겸손하다면, 또 남을 위해 봉사한다면 인종 차별도 얼마든지 극복할 수 있다고 생각한다. 동암문화연구소의 정신도 이와 같다. '탐구하며 배워서 봉사하자'는 모토를 갖고 미국에서 한국과 동양 문화의 이론을 공부하며 그것을 실천하고자 노력하고 있다.

특정 종교를 가지라는 말은 아니다. 영혼의 세계, 초인간적인 수준에서 우리의 삶을 반성하는 것이 중요하다고 생각한다. 덕을 닦아 자신의 열정과 재능을 자신만이 아니라 남에게도 도움 되는 삶을 살자는 것이다.

교육은 누군가 어떤 지식을 알려주는 데서 멈추는 것이 아니다. 우리 한 사람 한 사람이 진정한 자신을 깨닫고 한 사회의 구성원으로서 그 몫을 다할 수 있도록 만드는 것이다. 그러려면 아이들에게 사소한 것이라도 직접 깨우쳐서 완전히 자기 것으로 만들 수 있는 기회를 주어야 한다.

캠프나 전시관, 박물관, 미술관, 영화, 연극, 강연회, 자원 봉사 등등 주변을 돌아보면 할 것은 많다. 그런 데는 아이만 보내기보다 가족이 공동으로 경험을 쌓는 것이 더 뜻 깊다.

얼마 전 셋째아들 홍주가 헌법상 국가 정책의 잘잘못을 지적하기 위해 미국 상원위원 청문회에 참석한 적이 있다. 홍주는 그 자리에 지금 열세 살이 된 중학생 아들을 데려갔다.

그리고 그 자리에서 당당히 자기 아들을 소개하며, "우리 자녀들의 시대에도 바른 정책이 이행되기를 바라 내 아들을 이 자리에 데리고 나왔다"고 말했다. 홍주의 이러한 행동은 사회적으로도 큰 울림을 일으켜 신문에 자세히 보도되기도 했다.

나는 이 기사를 읽으며 내가 아주 어릴 때부터 회사 모임에 데리고 가곤 하셨던 아버지를 떠올렸다.

우리 가족의 가족회의를 예로 들어 설명했듯이 가족이 나누는 공동 경험은 추억 만들기라는 의미 이상의 교육적 소득이 있다. 중요한 가치들을 배울 수 있는 보물 창고가 되기 때문이다. 부디 아이들과 되도록 많은 경험을 공유하기를 바란다.

아이들에게 다양한 경험을 하도록 격려할 수 있는 방법은 많다. 아이들에게 이런 실마리를 던져주는 것은 어떨까?

"이 지식을 어떻게 실생활에 적용시킬 수 있을까?"

"이 경험으로 사회에 어떤 도움을 줄 수 있을까?"

공부하면서 늘 이런 지식과 실천의 연관성을 찾아보려 노력한다면 그만큼 많이 배울 수 있다. 실제로 내가 아버지로부터 훈련받은 태도이기도 하고 내 아이들에게 가르쳐서 그 효과를 본 것이기도 하다.

이론과 실천은 새의 양 날개와 같다. 배운 진리는 실천에 옮겨야 하며, 연구와 탐구를 거듭하여 그것을 지지할 이론을 찾아 실천 효과를 더욱 높이자는 말이다.

홍주가 있는 예일대 법대학장실에는 다음과 같은 한문 액자가 걸려 있다.

理論無實踐卽無生命(이론무실천즉무생명), 實踐無理論卽無魂(실천무이론즉무혼)

홍주가 국무성 차관보로 떠날 때 학생들이 선물로 준 액자다. 이 말은 바로 학생들이 홍주에게서 배운 것이다.

실천 없는 이론은 생명이 없고 이론 없는 실천은 혼이 없다

3대에 걸쳐 계속 내려오는 우리 집 가치관이기도 한 이 말이 우리 아이들의 제자들에까지 전해지고 있는 것이다.

그저 이론에만 치중해서 현실과 동떨어진 공부를 하거나 혹은 공부가 현실과 거리가 먼 이야기라고 느끼게 되면, 아이는 세상에 대한 적응력이 떨어지게 된다. 결국 리더로서 제대로 자리매김할 수 없다.

다시 한 번 말하지만, 아이들이 존경받는 리더가 되기를 바란다면 많은 경험을 할 수 있는 기회를 마련해줘야 한다.

우리 아버지는 세계 많은 나라를 여행하셨는데, 어디를 가거나 꼭 자녀들에게 그림엽서를 보내주셨다. 그 나라의 정취가 담긴 그림엽서에 멋진 필체로 그 나라의 풍습이나 역사를 느낀 대로 적어 보내셨다. 그리고 여행 끝엔 언제나 조그마한 선물 꾸러미와 함께 재미있고 신기한 이야기들을 잔뜩 안고 오셨다. 특히 꼭 책을 한두 권 사다주셨는데 나는 책의 장정이며 그 안의 그림들이 어찌나 예쁘고 신기한지 뜻도 모르면서 몇 번이고 되풀이해서 보곤 했다.

그때마다 어린 마음에 '빨리 영어를 익혀서 이 책에 뭐라고 씌어 있는지 알아야겠다', '나도 빨리 커서 미국에 가서 공부해야지'라는 자극을 받곤 했다.

아버지는 내게 호기심을 느낄 기회를 주셨다. 그 호기심으로 나는 새로운 경험에 대한 열망이 생겨 노력하게 된 것이다. 이렇듯 내가 학자의 길을 걷게 된 것도 호기심을 키워주는 부모의 배려와 격려 덕분이었다.

학문의 길은 사물에 대한 호기심으로 시작된다. 그것은 어린아이가 말문이 트이면서부터 모든 사물에 대해 쉴 새 없이 "저건 뭐야? 저건 왜 그래? 저건 어떻게 저렇게 돼?" 식의 질문을 던지는 마음과 다르지 않다.

나는 우리 아이들을 키우면서도 호기심을 불러일으켜주려고 노력했다. 아이가 두 살이 되어 스스로 몸을 움직이게 되면 일부러 침대 머리맡에 그림이 많이 들어간 책을 놓아주었다. 그 속의 뜻을 다 깨우치기를 바라서가 아니라 책을 가까이 하는 습관과 세상에 대한 호기심을 더욱 격려하기 위한 것이었다.

우리 가족이 모두 많은 공부를 하게 된 것도 끊임없는 호기심 덕분이다. 호기심은 새로운 경험에 도전하게 하는 힘이며 끈기를 낼 수 있는 원동력이 된다.

Chapter 4 _ 자녀를 큰사람으로 키우는
부모의 6가지 지혜

자녀 교육이 자녀를 올바로 키우기 위한 노력이라면, 자녀 교육의 첫걸음은 아이를 믿고 아이의 인격을 존중하는 것이다. 내가 낳은 아이를 내가 믿지 않고 존중하지 않는데, 세상 그 누가 내 아이를 선뜻 존중해 줄 것인가. 내 아이가 남에게 존중받기를 바란다면 일단 부모부터 아이를 존중해야 한다. 모든 관계는 상호적이다. 부모가 아이를 인정하면 아이도 부모를 인정한다. 그러면 아이도 자긍심을 갖고 사회의 예비 리더로 발전하게 된다.

토요일 아침의 가족회의

　대가족이라 어쩔 수 없는 부분이 있기는 했지만, 우리 가족의 가장 큰 장점은 공동 경험이 많다는 것이었다.

　아이들이 초등학생일 때 우리는 가족만의 행사로 토요일이면 함께 도서관을 찾는다거나, 금요일 밤마다 같이 텔레비전을 시청하는 가족의 밤을 보냈다. 주말 저녁이면 공부방에서 온 식구들이 함께 공부하고, 아이들 머리를 깎아주며 대화를 나눈 것도 우리만의 공동 경험 이벤트였다. 따로 제각각 할 수 있는 일이라도 일부러 시간을 정해 함께 했던 것이다. 우리 부부는 가족 모두가 함께 하는 공동 경험이 무엇보다 중요하다고 생각했다.

　내가 예일대에서 대학생들을 가르칠 때에는 꼭 두세 명이 공동 논문을 쓰도록 했다. 경쟁심이 많은 아이들일수록 처음에는 힘들어했다. 일을 많이 하거나 적게 한 사람이 있을 텐데, 어떻게 같은 점수를 주는가 묻는 학생도 있었다. 나는 서로 공평한 인간관계를 이루는 것도 숙제의 일부라고 주장했다.

서로 부딪히며 티격태격했던 학생들도 논문이 마무리될 쯤엔 서로 친해졌고 공부에도 재미를 붙이게 되었다. 개인주의가 강조되는 미국에서 아이들은 내 수업을 통해 동양의 집단적 자아(collective self), 공동체 의식을 경험하게 된 것이다.

특히 어린아이들의 경우 공동 경험이 쌓이는 과정에서 대화를 통해 협력의 의미를 깨달을 때면 그 어떤 교육에서보다 더 대단한 성과를 내기도 한다.

우리 가족은 토요일 아침 식사 후에는 꼭 가족회의를 했다. 일부러 교육 효과를 노리고 한 것은 아니지만 식구가 많다보니 가족회의가 자연스러운 의사소통 기회와 리더십 훈련이 되었다.

가족회의에서 리더는 가정에서의 위치와는 상관없었다. 매주 한 명씩 차례대로 아이들은 토론을 이끌고 회의 주제를 준비했다. 나이 많은 아이들의 경우는 반장이나 학생회장 등으로 이미 요령을 알고 있었고, 나머지 아이들도 눈치껏 보고 배워 회의를 진행했다.

리더를 뺀 나머지 아이들 중 한 명은 회의 보좌관으로 시간을 조정하고 주요 결론 사항을 기록하게 했다. 이 또한 매주 돌아가며 맡기로 합의된 내용이었다. 공동 결정을 내릴 수 있도록 각자 자신의 의견을 말할 수 있었다.

이러한 가족회의 경험을 통해 아이들은 의사소통의 중요성과 거기서 얻는 결론의 힘, 회의를 통해 다져지는 결속력과 같은 귀한 교훈들을 어릴 때부터 배울 수 있었다.

가족회의의 주제는 정말 중요한 것에서부터 일상적인 것에 이르기까지 다양했다. 어떨 때는 토론이 제법 격렬해지기도 했다. 그러나 결국 민주적 절차에 따라 해결되었다. 회의하다보면 가장 비민주적인 사람은 나와 남편이었다. 특히 가부장 사회에서 나고 자란 남편은 아버지의 권위라며 주장을 내세울 때마다 아이들의 지적을 받아야 했다.

아무래도 아이들과의 회의이다보니 부모인 우리 부부 의견이 많고 목소리가 커질 때도 있었다. 그럴 때면 아이들은 침착하고 정중하게 이같이 말하곤 했다.

"Dad, you are out of order(지금은 아버지가 말씀하실 차례가 아닙니다. 발언권을 얻어서 의견을 발표해 주시기 바랍니다)."

만일 회의 절차를 무시하고 부모로서 실력 행사를 하려 들면 아이들이 곧바로 지적하고 나섰다. 그러면 우리 부부도 상황을 이해하고 행동을 조심했다.

이렇게 하면서 우리 부부는 아이들을 한 사람의 인격체로 대하는 법을 배웠다. 아이들은 민주주의적 회의 진행 방식에 익숙해 있었고, 우리 부부도 민주주의 훈련을 받은 셈이 되었다. 이는 부모 자식 간이라도 서로 배우고 합의하며 협력하는 데 큰 도움이 되었다.

서로에 대해서나 어떤 주제에 대해 새로운 면을 알아갔기에 회의는 교훈적인 시간이 되었다. 회의가 교훈적이라고 하면 자칫 그 주제가 거창할 거라 오해하기 쉬운데 사실 회의 주제는 "매주 쓰레기를 밖에 내놓는 일은 누가 맡을 것인가", "밤에 문단속은 누가 할 것인가"처럼 사소한 것이 더 많았다.

하지만 사소한 주제였다는 표현은 지금 시각에서고 그때만 해도 제법 심각한 사안이었다. 고만고만한 아이들이 청소년기를 보내다보니 왕성한 식욕이 남기는 쓰레기 문제도 정말 심각했다. 어떤 때는 커다란 대형 쓰레기봉투가 대여섯 개나 될 정도였다. 쓰레기는 일주일에 한 번씩 청소차가 와서 가져가곤 했는데 그 많은 쓰레기봉투를 매주 같은 날 집 앞까지 날라다 놓는 것도 큰 일거리에 속했다. 게다가 해가 진 뒤에만 길에 내놓을 수 있었으니 더욱 귀찮은 일이었다.

문단속도 큰 일에 속했다. 아이들은 제각기 학교에서 특별활동을 하며 크고 작은 책임을 맡고 있었기 때문에 친구들이 많았다. 특히 신문 주필을 맡은 아이는 원고 마감 때면 시간에 상관없이 들락거리는 친구가 많아, 누가 마지막으로 집을 나가는지 알 도리가 없었다. 자연히 문단속 문제가 그리 쉽지 않았다.

이 문제를 놓고 남편과 아이들이 논쟁을 벌였다. 남편의 의견은 형제자매 중 나이가 제일 많은 사람이 쓰레기 문제와 문단속 문제를 모두 책임져야 한다는 것이었다. 그러나 아이들은 남편의 의견이 한국적인 사고라며 반론을 제기했다. 순번제로 하는 게 공평하다는 것이었다.

"만약 중간에 한 사람이 쓰레기 내놓는 것을 잊어버리면 날씨가 더울 때는 특히 최악일 텐데, 그러느니 나이 많은 형제가 책임지고 하는 게 낫지 않겠니? 밤에 문단속하는 일도 잊어버리면 안 될 일이고 말이다."

"불공평해요. 나이가 많다는 것 때문에 밤잠도 설치고 쓰레기도 치우라는 말이에요?"

남편과 아이들이 한참 동안 양보하지 않았다. 그래서 내가 나서기로 했다. 나는 아이들에게 아버지의 제안을 따라보자고 말했다.

"아버지는 가족 전체의 안전을 지키는 것이 무엇보다 중요하다고 생각하시는 거야. 무슨 일이 있어도 밤에 문은 꼭 잠가야 하고 또 쓰레기는 제때 버려야 하기 때문에 한 사람에게, 그 중에서도 가장 나이 많은 사람에게 맡기려는 것이지. 아버지는 개인 사정보다는 전체의 입장에서 일이 해결되는 것을 원하시는 거야. 그런데 너희는 너희 한 사람 한 사람의 편의에 더 관심이 있는 것 같아. 다시 말해, 너희는 '개인 정의'를 주장하고, 아버지는 가족 전체의 안위를 위한 '공동 정의'를 주장하시는 거야. 그리고 너희들은 '지금'의 정의에 관심 있지만 아버지는 정의가 '시간이 지나면' 이루어질 거라고 믿으시는 거야. 몇 년 있으면 큰아이가 먼저 대학에 가서 집을 떠날 테니 당장은 불평등해 보여도 긴 시간을 두고는 어쨌든 모두에게 책임이 돌아갈 테니 말이야. 너희들이 주장하는 순번제와 결국 같은 셈이지? 너무 성급하게 지금 당장의 것만 보지 말고 길게 생각해보렴. 아마 한국식이라며 싫어하는 방식도 결국 너희들의 주장과 크게 어긋나지 않을 거야. 서양에서는 시간을 직선의 개념으로 보고 내일이 오늘보다 나으며 변화를 진보라고 보지. 그러나 우리 동양에서는 시간이 순환한다고 믿는다. 환갑도 그렇고 사계절이 있어서 일정한 시간 안에서 빙빙 돈다고 생각해. 고로 긴 시간을 두고 보면 공평하게 될 거야."

아이들은 당장 마음에 안 들고 미심쩍더라도 일단 '한국적인' 해결책을 받아들이기로 했다.

몇 년 뒤 막내 정주가 기숙사가 있는 중학교에 입학하여 예정보다 일찍 집을 떠나게 되었을 때의 일이다. 나는 아직도 그때 정주가 아버지에게 남긴 작별 쪽지가 기억에 남는다. 그것은 한국적 방식을 고집한 아버지에게 보낸 아이 나름의 귀여운 반격이었다.

부모님께 :

몇 년 전 아버지가 제일 나이 많은 사람이 쓰레기 치우고 문단속하자고 했던 거 생각나세요? 이제는 제가 없으니 아버지께서 문단속과 쓰레기 치우는 일을 맡으셔야 합니다. 아버지가 어머니보다 나이가 많으시니까요. 아버지, 이제는 아버지 차례입니다. 우리 가족회의 결정을 지켜주시리라 믿습니다.

– 사랑하는 아들 리치가

추신 : 엄마, 결국 엄마 말씀이 맞았어요. 한국적 방법이 길게 보면 공평하네요. 하하!

정주는 자신의 사인 옆에 스마일 표시를 덧붙였다.

가족회의는 우리 가족 모두에게 소중한 깨달음을 주었다. 가족뿐만 아니라 사회에 나아가서 어떻게 상대방의 입장을 받아들여 조율하고 합의를 이끌어내야 하는지 깨우쳐준 소중한 계기가 되었다.

또한 쓰레기를 치우는 사소한 문제를 통해서 시간이 지나면 이루어지는 정의라는 개념을 소개할 수도 있었다. 순환하는 시간 개념의 가치와 함께 말이다.

가족회의를 통한 교육의 잠재성은 실로 대단했다. 야단치지 않아도 아이들은 자신들이 정한 규칙을 지키려 했고, 집안 문제도 협조받을 수 있었다.

이렇게 대화로 공동 경험을 나누면서 우리 가족은 한국 문화, 미국 문화의 가치관에 대해서도 배우고 추억과 사랑도 나누게 되었다. 한국 가정에서도 마찬가지 효과가 있을 것이라 생각한다. 대화와 공동 경험의 힘은 참으로 크고도 놀라웠다.

아이에게 요구하지 말고
합의하라

큰아들인 경주는 결혼식날 나에게 이런 말을 했다. 이제 자신은 결혼 했으니 앞으로 어떤 말이든 하게 될 때는 자신과 며느리 두 사람에게 동시에 해달라고 말이다.

그 말은 자기 부인인 며느리한테 못 하는 말을 아들인 자신에게만 하는 일이 없어야 한다는 뜻이었다. 경주는 내게 행복한 가정을 만들기 위해 스스로 세운 규칙을 말해준 것이었다. 그 규칙이 원칙이 되자 다른 세세한 규칙들도 하나하나 정해졌다.

가령 명절 때 오는 것도 달라졌다. 며느리도 한 집안의 딸이므로 크리스마스 때에는 친정에 가고 추수감사절에는 우리 집에 오는 식으로 순번으로 하겠다는 것이었다.

솔직히 처음 몇 해는 늘 볼 수 있던 아들을 못 볼 때도 있어서 섭섭했다. 그런데 외동딸인 며느리를 보낼 사돈의 섭섭함을 생각하면 공평하다는 아들의 마음 또한 이해할 수 있었다. 오히려 그렇게 규칙을 세우니까 규칙을 세우지 않은 아이를 대할 때보다 마음이 편안했다. 다른 일을 계획하기도 쉬웠고, 이번 명절에는 볼 수 없다는 식으로 마음의 준비를 하기도 훨씬 쉬웠다.

규칙을 세우지 않은 아이들에 대해서는 이번엔 올 건가 안 올 건가를 신경 쓰게 되는데, 경주네만큼은 그런 것이 없었다. 날이 갈수록 경주의 규칙이 부부끼리 존중해서 세운 것이고 나아가 내 입장까지 살핀 것임을 깨달을 수 있었다.

어려서부터 무슨 일을 계획할 때 구성원끼리 미리 합의하고 실천했던 경험이 한 집안을 이끄는 데에도 적용되었던 것이다.

어린 시절 우리 집안은 사업하시는 아버지 덕분에, 또 공부하러 온 젊은 사촌들 때문에 늘 손님이 북적대는 편이었다. 공부할 게 있어도 갑자기 도와야 하는 일이 많아서 차근차근 계획을 짤 수가 없었다.

그래서 나는 시간이 날 때마다 공부하고, 집안일이 바쁘게 돌아간다 싶으면 눈치를 보아 일하는 식이었다. 어린 마음에도 그런 것이 효율적이지 않다는 생각에 불만이 많았다. 미리 공부할 시간을 정해놓고 그때 집중해서 공부하면 놀 때도 불안감 없이 즐겁게 놀 수 있을 것 같았다. 책을 읽고 싶은데 손님들 때문에 혼자만의 시간을 낼 수 없어 화장실에 숨어 책을 읽다가 들킨 적도 여러 번이었다.

어린 시절의 경험 때문에 나는 우리 아이들한테는 미리미리 계획을 세우게 했다. 그리고 아이들이 계획을 잘 지킬 수 있도록 도왔다. 내가 어렸을 때처럼 우리 집에도 손님이 많은 편이었는데, 나는 아이들을 위해 그 사실을 미리 알려주었다. 일주일에 한 번 하는 가족회의 시간을 이용해 이번 주에는 언제 손님이 오며, 엄마인 내가 어떤 도움이 필요한지를 미리 말해주는 식이었다.

우리 부부는 아이들에게 무엇을 요구하기 전에 항상 계획하고 합의하는 과정을 거쳤다. 매주 토요일 아침의 가족회의가 바로 그런 장(場)이 되어주었다.

가족회의에서 아이들은 우리 부부의 스케줄도 들을 수 있었고, 우리 역시 아이들의 스케줄을 확인할 수 있었다. 누가 출장을 가며, 어느 아이가 학생회장 출마를 하여 언제 선거를 치르는지 등을 알 수 있었다. 이렇게 서로가 충분히 다음 주에 대해 예측할 수 있는 상태에서 계획을 세웠으므로 우리는 서로 무엇을 시키거나 부탁할 때도 부담스럽지 않았다.

계획적인 생활과 가족회의를 통해 아이들은 자연히 리더의 역할을 배우게 되었다. 그래서 우리 아이들이 반장을 하면 다른 아이들과 다르다는 말을 듣곤 했다.

하지만 무엇보다 아이들에게 도움을 주었던 가르침은 바로 서로간의 관계에 있었다. 여섯 아이들은 서로가 서로에게 협력자이자 경쟁자였다. 큰아이가 잘하는 것이 있으면 자연스럽게 밑의 형제들도 따라 하게 되었다. 가족회의 사회도 돌아가면서 보니까 아이들은 손위 형제가 하는 것을 보고 배우기도 하고, 자기 방식대로 변형하기도 하면서 창의성을 발휘했다. 가족회의에서도, 매일 아침 식탁에서도 식구가 돌아가며 기도했고 서로의 관심사도 알게 되었다.

집에서 하는 자녀 교육의 최대 장점은 역동성에 있다. 아이들 각자 개성이 다르면서도 가치관과 도덕심이 같은 한 가족이다보니 때로는 부딪히고 타협하고 절충하면서 성장하게 된다. 아이들의 개성이 각각이다보니 부모의 기쁨도 늘 새롭다. 우리 가족에게 가족회의는 단지 스케줄을 정리하는 모임에서 나아가 아이들의 개성을 발견하고 각각 다른 의미로 사랑하게 되는 소중한 시간이었다.

가족회의를 통해 아이들은 스스로 존중받는 법과 남을 존중하는 법을 동시에 배웠다. 회의를 위해서는 우선 자신의 일주일을 계획해야만 했고, 그 계획을 존중해달라고 요구하기에 앞서 스스로가 계획을 실행해야만 했다. 또한 자신이 존중받으려면 남의 입장도 존중해야 한다는 것을 자연스럽게 익히게 되었다.

아이들에게 가장 큰 자산은 이것이 습관이 되어 평생 능동적이며 적극적인 삶을 살 수 있었다는 것이다. 물론 자신의 주장만 내세우는 것이 아니라 해당 구성원 모두를 존중하면서도 최적의 결정을 내리는 리더로서의 태도를 익히게 된 것도 큰 보람이었다.

아이는 부모가 생각하는 것보다 성숙하다

"아직 애인데 뭘 알겠어요. 부모가 알아서 해줘야지."

어떤 부모는 아이가 앞에 있는데도 다른 사람에게 이런 이야기를 거리낌 없이 한다. 자신이 아이를 얼마나 사랑하는지 알려주기라도 하는 것처럼. 그러나 이 말은 아이를 보호해야 할 대상으로만 보고 인격체로서 존중하지 않는다는 생각을 표현하고 있을 뿐, 사랑이나 헌신과는 거리가 있다.

부모들이 기억해야 할 중요한 사실이 하나 있다. 아이는 부모가 생각하는 것 이상으로 성숙한 인격을 갖춘 하나의 인격체라는 점이다.

많은 부모가 조용한 성장 뒤에 숨겨진 아이의 변화를 모르고 살아간다. 아이가 성장하는 속도에 맞춰 부모들 역시 변화해야 한다.

자녀 교육이 자녀를 올바로 키우기 위한 노력이라면, 자녀 교육의 첫걸음은 아이를 믿고 아이의 인격을 존중하는 것이다. 내가 낳은 아이를 내가 믿지 않고 존중하지 않는데, 세상 그 누가 내 아이를 선뜻 존중해 줄 것인가. 내 아이가 남에게 존중받기를 바란다면 일단 부모부터 아이를 존중해야 한다.

또한 아이에게 효과적인 자녀 교육을 하려면 부모의 권위를 찾기 전에 아이를 독립된 인격체로 인정해야 한다. 모든 관계는 상호적이다. 부모가 아이를 인정하면 아이도 부모를 인정한다. 그러면 아이도 자긍심을 갖고 사회의 예비 리더로 발전하게 된다. 그런데 이런 자녀 교육 원리와는 반대로 행동하는 부모도 있는 것 같다.

요즘 한국에서는 조기교육 바람으로 학습지 증후군까지 생겼다고 한다. 아이들의 입장은 헤아리지 않고 억지로 학습지를 시키는 바람에 정신적인 문제를 일으켜 소아정신과 병동을 찾는 아이들이 늘어간다는 말을 들은 적도 있다. 이런 현상이 벌어진 지 2~3년이 지났는데도 나아지기는커녕 오히려 심각해지고 있다고 하니 더 큰 문제다. 이것은 아이에 대한 부모들의 태도가 잘못되었기 때문이다.

부모들은 아이에 대한 기본 태도부터 바꾸어야 한다. 아이에게 필요한 것을 아이 자신보다 더 잘 알고 있다고 자부하는 부모들은 그런 생각 자체를 던져버려야 한다. 그 착각 때문에 아이는 자신이 원하지도 않는 일을 억지로 하게 된다.

"지금 너는 어려서 진짜 좋은 것이 무엇인지 몰라서 그래. 엄마가 하라는 대로 하면 나중에 고마워할 거야."

이 같은 생각의 뿌리에는 아이를 하나의 독립된 인격체로 인정하는 마음이 없다. 이런 부모는 공부를 시키거나, 무엇을 사주거나, 잘못된 생활 습관을 고쳐주려 할 때 강요하는 태도를 많이 보인다. 또한 아이 대신 결정을 내려주는 것을 당연하게 여긴다. 아이가 싫어하는 결정을 할수록 오히려 부모로서 용기 있는 결단을 내리는 것처럼 생각한다는 것에 심각한 문제가 있다.

어떤 부모들은 공부 습관은 어릴 때 잡아주어야 한다면서 자신들의 계획을 아이에게 강요하기도 한다. '공부는 왜 해야 하는가'에 대해선 설명해줘도 잘 모를 테니 일단 시작하고 보자는 식으로 쉽게 생각해서 밀어붙이는 것이다. 그러나 이렇게 시작하는 공부는 아이나 부모에게나 모두 스트레스가 된다.

공부 습관은 어릴 적에 잡아주어야 한다는 말에는 나 역시 공감한다. 그러나 잡아준다는 말이 곧 강요하라는 말은 아님을 일러두고 싶다. 아이를 독립적인 인격체로 인정하고 아이에게 맞는 공부법을 찾는 노력을 기울일 때 부작용 없는 교육법도 찾을 수 있다.

우리 가족의 경우 아이들의 공부에 특별한 관심을 보인 사람은 남편이었다. 남편은 공부 습관을 들이려면 규칙적으로 공부해야 한다고 믿었다. 남편은 아이들의 나이와 성향에 따라 공부 시간과 양을 정해주었다. 아이가 의사소통이 가능한 나이가 되면 남편과 나는 아이와 함께 규칙을 정했는데, 스스로 규칙을 정하게 하되 충분히 할 수 있는지 판단하는 것은 우리 부부의 임무였다. 무리하지 않은 계획으로 자신이 정한 양을 해낸 아이들은 성취감과 자긍심이 높아져 공부에 대한 자발성도 커졌다.

아이들에게 공부 습관을 성공적으로 심어주려면 아이들뿐 아니라 부모들의 노력도 필요하다. 많은 부모들이 자기 기분에 따라 아이들의 생활을 좌지우지하는데 이런 태도는 아이들에게 혼란만 줄 뿐이다. 마치 인심을 쓰는 것처럼 어떤 때는 "오늘 공부 안 해도 돼"라고 말했다가 어떤 때는 "지금 이 시간까지 공부도 안 하고 있었니?" 하면서 다그치는 식이면 아이에게는 공부 습관 대신 눈치 보는 습관만 길러질 수밖에 없다.

처음 아이의 공부를 지도할 때는 매일 아침 그날 할 공부에 대한 계획을 아이와 대화하며 정하는 것이 좋다. 아이가 자라면 하루 단위에서 주간, 월간 단위로 계획을 세우고 규칙적으로 공부할 수 있게 해야 한다. 그러자면 부모 자신도 그 규칙을 지켜주려고 노력해야만 한다. 공부하기로 약속했던 시간에는 아이를 방해해서도 안 되고, 반대로 자유 시간에는 쓸데없이 공부를 강요하지 말아야 한다.

계획을 세우는 과정을 통해 아이들은 자신의 시간을 요리하는 법을 배운다. 스스로 공부 이외의 자유 시간도 정하고 그것을 효율적으로 쓸 방법을 생각하는 것 자체가 굉장한 학습이며, 성공적인 삶을 살아가는 데 꼭 필요하기도 하다. 자기의 기본적인 생활도 계획하지 못해 쩔쩔매는 아이가 어떻게 여러 사람을 이끄는 리더로 자라날 수 있겠는가.

갈등에 대한 예방주사

　미국이나 한국이나 자녀를 기르면서 크고 작은 갈등 상황을 만나지 않을 수는 없다. 그러나 가정 안에 사랑과 배려가 탄탄하다면 대화만으로 충분히 문제를 해결할 수 있다. 만약 그렇지 못하다면 갈등은 곧 파국으로 치닫게 된다. 사랑과 믿음이 없는 가정에서 자라난 아이의 경우, 처음에는 부모가 주는 양분을 잘 받아먹으며 건강한 것처럼 보였어도 예민한 시기에는 자칫 걷잡을 수 없는 방향으로 곤두박질치기도 한다.

　심하게 흔들리는 허약한 가정에서 어떻게 아이가 온전하고 건강하게 자라기를 바랄 수 있을까. 그러니 아이를 가르치려고 하기 전에 가정의 건강부터 확인해야 할 것이다.

　다른 가정의 성공, 다른 집 아이를 부러워하기 전에 여러분 자신의 가정을 되돌아볼 필요가 있다. 혹 아이와의 사이에 대화는 없지 않은가?

아이와 대화하지 않는데 어떻게 아이의 생각을 알 수 있을까. 아이의 생각을 모르는데 갈등이 생겼을 때 어떻게 무난하게 위기를 기회로 바꿀 수 있겠는가. 대화하는 습관이 없다면 크고 작은 갈등이 있을 때마다 아이와 멀어지게 되어 있다.

심리적으로 아이와 가깝지 않은데 어떻게 아이들이 부모의 가르침을 신뢰해주기를 기대할 수 있겠는가. 아이가 부모를 신뢰할 수 없는데 어떻게 존경하고 이해할 수 있는가. 가장 믿고 의지해야 할 부모를 믿고 따르지 않는 아이가 다른 누구를 믿으며 사랑하고 배려할 수 있을까. 다른 사람을 믿지도, 사랑하지도, 배려하지도 않는 아이가 어떻게 리더가 될 수 있겠는가.

대화는 경제적으로나 시간적으로 여유로운 가정에서나 가능한 사치가 아니다. 대화는 가족이라면 꼭 나누어야 하는 필수 사항이다. 대화가 없으면 교육은 물론이고, 그저 쉴 곳조차 없는 셈이다.

대화는 상대방의 입장을 살피고 내 입장을 이야기하는 가장 자연스러운 의사소통 방법이다. 만약 아이가 부모와 대화를 나누는 것을 꺼린다면 그 원인을 아이와 자신의 관계에서 찾기 전에 부부 관계에서 찾아보라.

보통 부부간에 대화가 부족하면 그 사이의 아이도 자연히 대화하는 법을 배울 수 없게 된다. 아버지와 어머니가 서로 사랑하고 존경하는 모습을 보이지 않으면 아이들도 사랑하거나 존경하는 법을 배울 수 없다. 부모의 말을 듣지 않는 것도 당연한 일이다. 부모가 서로 존경하며 대화하는 모습을 보이지 않는데 아이인들 부모를 존경하고 대화 상대로 생각할 수 있을까.

부모가 먼저 변화된 모습을 보여주어야 한다. 아이를 억지로 변화시키려 하기보다는 대화의 필요성을 깨달은 부모가 먼저 대화를 늘려 모범을 보여야 한다.

우리 가족은 무슨 일이 있어도 아침 식사를 항상 같이 했다. 그 자리에서 아이들은 돌아가며 크고 작은 기도를 올렸다. 또 매주 금요일 밤은 가족의 밤으로 TV를 같이 시청하고 의견을 나누었다. 주일날 교회에서 돌아오면 그날의 설교에 대해 소감도 나누고, 각자의 생활을 식구에게 이야기하면서 같이 웃고 격려했다.

대화는 문제 해결의 실마리가 된다. 사람이 살면서 늘 좋기만 할 수는 없다. 우리는 살아가면서 여러 가지 이유로 다른 사람과 크고 작은 갈등을 겪게 된다. 그럴 때 문제를 외면하는 사람이 있는가 하면, 적극적으로 달려들어 끝까지 해결하고 마는 사람도 있다. 사람마다 문제 해결 방법이 다르다며 그대로 넘길 수도 있다.

그러나 그 갈등의 상대가 자신의 아이라면 어떨까? 아이와의 갈등은 마냥 무시할 수도 없고, 부모의 권위를 내세워 강압적으로 해결할 수 있는 것도 아니다. 그래서 아무리 부모가 훌륭해도 아이만큼은 마음대로 안 된다는 말이 있는 것이다.

아무리 제 속으로 난 자식이라도 갈등이 있기 마련이다. 그 아이가 독립된 인격체이기 때문이다. 아이 나름대로 꿈이 있고, 생각이 있고, 마음을 가진 온전한 한 사람이기 때문이다. 부모는 이 사실을 인정해야 한다. 부모와 마찬가지로 아이를 독립된 인격체로 인정하고 서로 원하는 부분에 대해서 이야기를 나눠야 한다. 부모 입장에서 느리고 답답하더라도 서로의 이해를 바탕으로 조율해야 문제를 해결할 수 있다. 다른 방법은 없다.

보통 때는 서로가 얼마나 이해하는지, 그 깊이가 어느 정도인지 몰랐던 관계도 갈등이 생기면 그 정도를 쉽게 알 수 있다. 하지만 갈등을 통해서 그 골이 얼마나 깊은지 확인하는 것은 의미 없는 일이다. 서로의 마음에 상처를 입히기 전에 대화로 서로를 이해하고 신뢰를 쌓아야 한다. 즉, 평소 꾸준한 대화로 아이와의 신뢰를 다져야 한다. 감기만 예방주사가 필요한 것이 아니라, 아이와 있을지 모르는 갈등에 대해서도 예방주사를 놓아야 한다. 예방주사를 잘 맞으면 병균이 들어와도 병에 걸리지 않고 건강하게 넘어갈 수 있다. 갈등이 생겼을 때 대화가 하는 일도 예방주사와 마찬가지다. 문제 해결의 실마리는 아이와 얼마나 대화를 나누었느냐에 달려 있다. 부모는 아이와 대화할 수 있는 시간과 공간을 늘 준비해야 한다. 그리고 평소에도 늘 대화하는 습관을 들이려 노력해야 한다.

대화하는 습관을 들이라고 말하면 어떤 사람들은 같은 집에 살면서 완전히 입을 닫고 사는 것도 아닌데 왜 노력과 훈련이 따로 필요한지 모르겠다는 반응을 보이기도 한다.

사실 부모의 마음은 그렇지 않은데, 아이와의 대화에 서툴러 관계가 틀어지는 경우를 많이 보았다. 아무리 따뜻한 마음이라도 전달하지 않으면 쓸모없다. 표현하자!

아이의 마음을 여는 대화법

언제나 함께 한 우리 가족의 아침 식사는 대화를 위한 좋은 훈련장이었다. 어떤 사정이 있든, 얼마나 바쁘든 간에 집에 있는 가족은 꼭 아침 식사를 함께 한다는 게 남편이 세운 원칙이었다. 아침 식사의 중요성도 중요성이지만, '가족 속의 나'를 인식하면서 아침을 시작할 수 있다는 논리였다. 신혼 때는 그 원칙이 귀찮았지만, 아이들을 키우면서 정말 좋은 원칙이라는 것을 깨달을 수 있었다.

아침에 아이들이 보여주는 표정과 분위기로 아이에게 일어나는 일을 대충 짐작할 수 있었다. 그리고 쉽게 말을 꺼낼 수도 있었다. 우울해 보이는 아이가 있으면 엄마로서 더욱 주의를 기울일 수도 있었다. 그렇지만 주의를 기울인다고 해서 그것을 직접적으로 묻는 방식은 아니었다.

"얘, 표정이 왜 그래? 요즘 무슨 문제 있니?"

이렇게 시작해버리면 아이는 대화한다기보다 엄마에게 뭔가를 들켰다는 생각이 들게 마련이다. 아이가 대답하지 않으면 부모만 답답해진다. 게다가 아이에게 더 스트레스를 주어 쓸데없는 갈등이 생길 수도 있다.

나는 그럴 때면 그 아이와 같은 방을 쓰고 있는 형제를 불러 물어보았다.

"재, 혹시 무슨 고민 있니?"

아무래도 나보다는 같은 방을 쓰고 있는 형제가 더 많이 관찰할 수 있을 것이라는 생각에서였다. 우울해하는 아이 본인에게 물어보았다면 "됐어요"라는 퉁명스러운 답밖에 얻지 못했겠지만, 다른 아이를 통해서 오히려 효과적으로 아이를 도울 방법을 찾을 수 있었다.

사춘기 때는 이유도 모르면서 우울해하는 경우가 많다. 그런 것을 부모가 설명하라고 하면 아이는 더욱 우울해진다. 자신도 모르는 문제에 대해 꼬치꼬치 캐물어봤자 아이를 더 혼란에 빠트릴 뿐이다. 그럴 때 가장 든든한 지원군은 형제자매들이다. 요즘처럼 아이가 많지 않은 집에서는 친한 친구들이 그 역할을 대신해줄 수 있을 것이다.

이렇게 주변 사람을 활용하면 어머니가 아이에 관한 모든 정보를 수시로 살필 수 있다. 대화하기 전에 우선 준비가 되어 있으니 아이가 받아들이기 쉬운 말을 미리 준비할 수도 있다. 이렇게 하면 "엄마는 잘 알지도 못하면서 괜히……"라는 말을 들을 까닭도 없다.

아이와의 대화에서 중요한 점은 대화의 성질을 파악하라는 것이다. 식구들이 다 있을 때 할 수 있는 이야기가 있고, 단둘이 할 수 있는 이야기가 따로 있다. 그것을 구별하지 못하고 대화를 시도하면 예민한 시기에 있던 아이는 상처를 입고 갈등도 더 커지게 된다.

아이와 단둘이 대화할 필요가 있다고 생각될 때에도 "우리 대화 좀 하자"는 식으로 단도직입적으로 선전포고를 하면 대화를 시작하기 전부터 분위기가 어색해질 수 있다. 아이가 좋아할 만한 쇼핑이나 영화, 텔레비전 등을 함께 보면서 자연스럽게 둘만의 시간을 가지도록 한다. 자리가 자연스러울 때 개인적인 얘기들이 편하게 오가게 되어 있다.

이 밖에도 아이들과 마음을 나눌 수 있는 시간을 마련하는 방법은 많다. 내 경우에는 아이들의 머리를 깎아주는 시간을 적극 활용했다. 아이의 머리를 깎아주고 몸을 만져주고 분을 발라주면서 자연스럽게 스킨십도 하게 되니 친밀감도 더해졌다. 그때 자연스럽게 궁금한 것을 물으면 아이도 거부감 없이 이야기해주었다.

한번은 아이가 이성 친구 문제로 고민한다는 정보를 주변에서 전해 들었다. 나는 아이가 관심 있어 할 만한 이야기로 대화를 시도했다.

"새로운 학기인데 혹시 전학 온 애는 없니? 나는 어렸을 때 전학 온 애가 얼마나 멋있었는지 한 학기 내내 두근두근했던 적도 있어."

이렇게 나가면 아이도 자연스럽게 자신의 이야기를 풀어놓게 된다. 이런 식으로 이야기가 오가는 것이 바로 대화다. 중요한 것은 아이들이 편하게 이야기할 만한 분위기와 장소, 주제를 정하는 것이다. 그러려면 부모들이 좀더 고민하고 노력해야 한다.

강요는 대화가 아니다

이야기를 들었을 때에는 직접적으로 그 사안에 대해 평가하지 않는 것이 좋다. 엄마가 자기의 말을 분석하거나 평가한다는 생각이 들면 아이는 이야기를 하지 않고 멈춰버린다. 그러니 다른 질문을 하거나 혹은 동의해주는 식으로 이야기를 계속 유도해야 한다.

"엄마, 내가 반장 선거에 나갔는데 후보 선출 때 이런 문제가 있었어요."

이러면서 이야기를 시작한 아이에게, "아니, 왜 넌 그렇게밖에 못 했니? 그땐 이렇게 했어야지" 하면서 곧바로 평가하고 다른 결정을 내려버리면 아이는 입을 닫아버릴 것이다.

"네가 출마하는데 다른 아이들이 지지하든?"

이런 식으로 다른 질문을 해서 그때 아이가 처한 상황을 듣고 아이의 인간관계에 대한 정보도 얻어야 한다. 다른 경쟁자가 있어 반장 선거에서 힘들었다고 하면 그 아이와 직접적으로 비교하는 말을 해서는 안 된다. 그보다는 아이에게 생각할 기회를 주어 스스로 정리하도록 이끄는 것이 좋다. 그러면 아이가 반장 선거에서 떨어지더라도 스스로 경쟁자의 장단점을 분석하면서 나름대로 정리할 수 있는 준비가 된다.

어떤 아이는 부모가 조금만 대화의 기술을 바꾸면 이야기를 술술 풀어내겠지만, 또다른 아이는 부모가 많은 노력을 기울여도 대화하려 들지 않을 수 있다. '이런 대화는 된다 혹은 안 된다'는 식으로 평가하지 말고 시간을 갖고 기다려라. 부모가 노력하면 결국 아이는 이야기를 하게 되어 있다. 사람들은 누구나 자신의 입장을 설명하고 이해받으려는 욕구가 있기 때문이다.

우리 아이들 같은 경우에도 어떤 아이들은 쉽게 이야기하는 편이었지만 그렇지 않은 아이도 있었다. 하지만 언제 마음을 터놓는가 하는 시간적인 문제였을 뿐, 결국 속 깊은 대화를 하게 되었다. 남에게는 털어놓기 어려운 말이라도 상대가 자신을 정말 사랑하는 가족이라는 사실을 깨달으면 아이는 적극적으로 이야기하게 되어 있다.

대화는 수업처럼 시간을 정해놓고 할 일이 아니다. 대화가 생활의 자연스러운 일부가 되도록 해야 한다. 그래서 아이에게 "엄마는 너에 관한 이야기는 뭐든지 언제나 최선을 다해서 들어줄 거야"라는 확신을 심어주어야 한다. 그래야 어머니가 미처 살피지 않은 문제까지도 아이 쪽에서 먼저 말해주고 문제를 쉽게 해결할 수 있다.

대화할 때 나는 어른이고 너는 아이니까 결국에는 내 말을 들어야 한다는 식의 암시를 주어서는 안 된다. 오히려 그 반대의 자세를 보여주어 아이가 뭔가 얻을 것이 있다는 생각에 신나게 이야기할 수 있도록 해주는 것이 좋다.

나는 아이들에게 이런 말을 자주 했다.

"나는 너희들처럼 여기서 어릴 때부터 학교를 다닌 것도 아니고, 너희들 학교 사정을 잘 모르잖니. 그러니까 너희가 설명을 좀 해주었으면 좋겠다."

나는 어떤 지시를 하기 위해서가 아니라 사정을 알고 싶어한다는 자세를 아이들에게 보였다. 수시로 학교에서 어떤 일이 있었는지 아이들에게 물어보고, 주변인에게도 물어보고, 좋은 책도 읽고 하는 식으로 아이들의 생활을 파악했다. 그렇게 아이들의 평소 생활에 대해 늘 알고 있으려 노력했고, 아이들도 엄마의 노력을 존중했다.

아이와 대화할 때 주의할 것은 '제안은 하되 강요하지는 마라'는 것이다. 만약에 반장 선거에서 아이가 경쟁자에 대해 나쁘게 말한다고 해서 혼내거나 무조건 동조를 하는 것은 좋지 않다. 아이의 이야기가 끝날 때까지 엄마는 끝까지 들어야 한다.

대신 말하고 있는 아이의 마음과 사정을 정확히 이해하려고 노력해야 한다. 그러면서도 되도록이면 아이가 보는 현실을 객관적으로 보려고 노력해야 한다. 그래야 아이에게 도움이 되는 멘토로서 충고할 수 있다. 아이의 기를 살린다는 목적으로 아이의 이야기에 맞장구만 쳐주는 것이 부모로서의 역할은 아니다.

나는 학교에서 친구 문제로 고민이 많은 아이에게 이렇게 말한 적이 있다.

"사실이 그렇다 하더라도 네가 그걸 어떻게 해석하는가는 너의 생각에 달려 있지 않니? 그러니 어떻게 해석하는가는 너의 자유의지이고 너의 선택이야. 하지만 이왕이면 긍정적으로 봐서 좋은 방향으로 해결하는 것이 좋지. 그 아이가 너를 질투해서 너에게 못되게 군다는 것은 네 느낌이지, 그게 사실인지 아닌지는 모르지 않니?"

이렇게 다른 주장을 대화 처음에 했다면 아이는 입을 닫아버렸을 것이다. 그렇지만 자기 말을 다 하고 난 뒤이니 아이는 내 이야기를 잠자코 듣는다. 아이에게 해주고 싶은 말은 다 하되, 단 강요를 해서는 안 된다. 제안한다는 생각으로 마무리를 지어야 한다. 그래야 다음번에도 마음을 연 대화를 할 수 있다.

"네가 그 아이 입장이라면 너는 어떻게 할 거니? 그 아이와 다르게 행동하는 것이 좋다고 너도 생각하지? 그렇다면 그 아이에게 오히려 더 잘해줘서 네 친구가 되도록 하면 되지 않겠니?"

이런 식으로 말해주면 아이는 무엇이 옳고 그른지 알게 된다. 물론 표정까지 편안해지는 것은 아니다. 그러나 아이들은 천천히 변한다. 언젠가는 자기 친구하고 관계가 좋아졌다며 고마워하는 말을 들을 수 있을 것이다. 다시 강조하지만, 아이와의 대화에서는 제안은 하되 강요하지 말아야 한다. 그것이 진정한 멘토로서 부모의 자세다.

강요하기 전에 설명하라

한번은 아이들이 늦게까지 안 들어온 적이 있었다. 보통 때면 밤 10시 30분까지는 들어오는데, 이상하게 오지 않는 것이었다. 교회 아이들하고 나간 것이어서 별로 걱정은 안 했지만 1시 30분까지 들어오지 않자 점점 걱정되었다.

부모들이 서로 전화를 걸고 소동이 났다. 한참 그러고 있는데 애들이 집에 들어왔다.

"도대체 어떻게 된 거야? 왜 전화를 안 했어?"

나는 아이들이 별 탈 없이 들어온 것이 반가우면서도 따져 물었다. 그랬더니 아이들은 바닷가에 공중전화가 없어 전화 걸기가 힘들었다고 대답했다. 그래서 이렇게 말했다.

"그래도 너희들은 제시간에도 들어오지 않았고 바닷가로 놀러간다고 미리 허락도 안 받았잖아."

그렇게 말하고 나서 벌로 한 달 동안 학교 외에는 외출을 못 하게 했다. 물론 그 이유도 차분히 설명해주었다. 한 달 동안 외출 금지이니 아이들은 친구들과 전화 통화밖에 할 수 없었다. 우연히 통화 내용을 들었는데, 바닷가에 같이 놀러갔던 친구들에 대해 누구 집에서는 우리처럼 똑같이 벌을 주고 누구 집은 그렇지 않더라는 것이었다. 하지만 벌을 받지 않은 아이들을 부러워하는 것이 아니라 벌을 받는 게 당연하며 부모들의 사랑과 관심이 표현된 것이라고 이야기하고 있었다. 아이들도 자신이 벌받는 이유와 잘못을 다 알고 있었던 것이다.

부모들이 아이에게 벌을 줄 땐 확실히 벌주어야 한다. 그게 아이를 바로 가게 하면서도 애정을 전달하는 길이다. 그렇다고 무조건 벌만 주라는 것이 아니다. 왜 벌을 주는 것인지 똑똑히 설명해주어야 한다.

나는 아이들에게 제시간에 오지 않아 집안 식구가 모두 걱정하며 밤늦게까지 기다렸던 것과, 아이들 부모가 모두 여기저기 동네 사람들한테 전화 거는 등 얼마나 많은 사람들이 늦은 밤까지 불안해하며 소동을 벌여야 했는지 차분히 설명했다. 왜 벌을 주는지 아이의 행동을 재구성하며 분석해주어 아이들도 자신의 잘못을 이해하고 반성한 것이다.

아이가 자신의 잘못을 파악하기 힘든 나이에 잘못을 저질렀을 경우, 추상적인 원칙이나 원리만 이야기해주어선 쉽게 이해하기 힘들 것이다. 그때는 아이의 행동으로 벌어질 수 있는 사고나 피해에 대해서 여러 가지 예를 들어 설명하는 것이 좋다.

벌받는 고통을 느끼기 전에 아이 스스로 왜 벌을 받아야 하는지 그 이유를 생각하게 해야 한다. 부모가 아이를 괴롭히자고, 혹은 아이가 미워서 벌주는 것은 아니지 않은가. 아이가 스스로 잘못을 알고 다시는 그런 잘못을 저지르지 않게 가르치기 위해 벌을 주는 것이라면 아이가 벌받는 이유를 정확히 알 수 있도록 하는 것이 올바른 일이다.

그냥 무턱대고 말을 듣지 않는다고 매를 들면 아이의 반감만 키울 뿐이다. 매 맞는 아이의 머릿속에는 부모가 벌주는 이유를 생각할 틈이 없다. 이유도 모르고 맞는 매는 아이에게 상처만 안기는 일이다.

과거 우리 조상들도 매를 들었다. 과거 유교적 훈육법에서는 부모가 먼저 잘못한 이유를 이야기하고 몇 대 맞을 것인지 정한 다음, 매를 때릴 때도 예고하고 때렸다. 하지만 오늘날의 어떤 부모들은 매를 들 때 원칙도 없이 자신의 기분에 따라 벌에 대한 시간과 강도가 달라진다. 이런 이유로 아이들 역시 벌을 받을 때 자기 잘못을 반성하기보다는 부모의 눈치만 보는 것이다.

벌을 줄 때 가장 핵심이 되어야 하는 것은 때려야 하는지 말아야 하는지, 때린다면 얼마를 때려야 하는지 등 벌의 형태나 종류가 아니다. 핵심은 아이들에게 어떻게 그 잘못과 벌을 주는 이유를 납득시키느냐 하는 것이다. 다시 한 번 강조하지만, 벌은 아이에게 고통을 주는 것이 목적이 아니다. 아이에게 상황을 정확히 이해시켜 다시는 똑같은 잘못을 저지르지 않도록 기회를 주는 것이 목적이다.

부모는 강요하기 전에 자신이 먼저 설명하는 버릇을 들여야 한다. 이유를 충분히 설명하면 강요하지 않아도 아이 스스로 깨달아 실천으로 옮긴다. 벌이 훈육을 위해서 필요한 것이라면 이 점을 잊지 말아야 한다. 교육은 가르치는 것이 아니라 스스로 깨닫게 하는 것이다.

'고 박사네 지하 도서실'

나는 아이들에게 억지로 공부를 강요한 적이 없다. 그것은 남편도 마찬가지였다. 만일 공부라는 것이 억지로 시켜서 잘할 수 있는 것이라면 나와 남편 역시 공부를 강요했을지 모른다. 그러나 우리는 공부를 하는 사람들이었기 때문에 그 누구보다 공부의 특성에 대해 잘 알고 있었다.

공부는 잠깐이라면 몰라도 계속 강요할 수 있는 성질의 것이 아니다. 초등학교 때는 부모가 억지로 공부시키는 아이들이 1등을 한다. 요즘 한국에서는 공부는 부모가 반 이상 하는 것이라는 말을 한다는데, 초등학교 때까지는 맞는 말일지도 모른다. 초등학교 때에는 혼자 열심히 공부하는 아이라 하더라도 부모가 앉혀놓고 문제집 검사를 하는 아이에게는 당하지 못한다. 아무래도 요령이 부족하고 공부 경험도 없기 때문이다.

그런데 확실한 것은 부모가 반 이상 해준 공부는 초등학교 이후에는 힘을 쓰지 못한다는 사실이다. 중학생이 되면 부모가 감당하기 힘든 수준의 내용이 나오고, 또 하나는 아이들의 자아가 커지면서 더 이상 부모의 말을 고분고분 듣지 않게 되기 때문이다. 그래서 부모들은 아이를 학원으로 보내지만, 열의가 없는 공부는 결코 아이의 것이 되지 못한다.

공부는 짐을 옮기는 일처럼 한 번 힘을 쓰고 마는 것이 아니다. 계속 지식을 쌓고 생각해야 나아지는 것이 공부다. 그리고 끊임없이 이것을 왜 해야 하는지 그 성취 동기를 찾아야만 끈기를 가지고 할 수 있는 것이기도 하다.

부모가 아이들의 공부를 반 이상 해주고 싶다면, 같이 앉아 시험에 대비할 것이 아니라 아이의 마음속에 공부하고 싶어하는 의욕과 해야만 한다는 동기를 마련해주어야 한다. 또 하나, 부모가 해줄 수 있는 가장 효과적인 공부는 공부 습관을 만들어주는 것이다.

우리 부부는 아이들에게 공부를 강요하지는 않았지만, 위와 같은 의미에서 반은 공부를 해준 셈이다. 나는 아이들의 성취 동기에, 남편은 공부 습관에 관심이 많았고, 효과적인 방법을 알고 있었다.

나는 공부를 해야만 하는 성취 동기를 아이들 스스로 찾았으면 했다. 그래서 아이들에게 다양한 경험을 하도록 부추겼다. 우리 아이들 같은 경우 자원 봉사를 한 것이 각자 공부를 하는 데 큰 도움이 되었다. 그들은 남을 도와줄 때의 기쁨을 더 많이, 더 오래 느끼고 싶어 각자 적성에 맞는 분야를 선택하고 최선을 다했다. 공부는 그런 목적을 이루려는 한 방법이었을 뿐이다.

아이들이 남과의 경쟁에서 이기기 위해 공부하거나 공부 자체를 목적으로 생각하지 않은 것은 정말 다행스러운 일이었다. 공부 자체를 목적으로 생각한다면 일정 수준 이상 잘하기 힘들고, 또 공부를 즐기면서 할 수도 없다. 그러니 공부하려는 목적을 생각하게 하고 공부를 즐기는 방법을 알려줘야 아이가 행복할 수 있다.

공부하는 목적은 저마다 적성과 꿈에 따라 다르다. 그런 꿈과 적성을 부모가 완벽하게 쫓아가며 준비해줄 수는 없다. 그러므로 어떤 것을 강요하려 하지 말고 그 목적을 스스로 찾을 수 있도록 부모가 도와준다는 생각을 가지고 있어야 한다. 한 발짝 떨어져서 지켜본다는 기분으로 아이의 진로 문제에 대처해야 한다.

그러나 공부를 즐기면서 하는 방법을 가르치는 것은 이와 다르다. 어릴 때부터 공부하는 것이 습관으로 자리잡도록 해야 공부를 자연스럽게 느껴 더 잘 즐길 수 있게 된다. 이 부분은 부모가 적극적으로 노력해야 한다.

어디서든 책을 펼 수 있는 환경

공부를 습관화하려면 공부할 수 있는 환경부터 만들어야 한다. 내 남편은 작은 아파트에 책상을 사들였다. 식구도 많은데 책상만 늘어놓은 아파트……. 인테리어를 생각하면 그렇게 할 수 없었을 것이다. 남편은 집의 모양새는 관계없이 그냥 편하게 어디든 앉으면 아이들이 공부할 수 있도록 책상을 자꾸 사들였다.

여유가 있어서 책상을 산 것도 아니었다. 결혼한 직후 우리는 운이 좋아서 보스턴에 아주 깔끔한 아파트를 얻을 수 있었다. 마침 유럽으로 유학을 가게 된 하버드 대학원생 신혼 부부 왈, 내가 집을 잘 가꿀 것 같다며 싸게 그 집을 빌려주었던 것이다. 이탈리아 사람들이었던 부부는 많은 친지에게 결혼 선물을 받아 유아용 그랜드피아노까지 있었다. 집이 예쁘게 꾸며져 있어서 너무 마음에 들었다. 작은 원룸아파트에 살다가 서재까지 있는 그 집에 처음 발을 들여놓으니 큰 부자라도 된 것같이 행복했다.

그런데 그 집에는 책상이 하나밖에 없었다. 당시 남편이나 나나 공부하는 사람이어서 책상 하나로는 부족했다. 그래서 나는 차를 놓을 수 있는 작은 탁자를 쓰겠다고 말했다. 그러자 남편은 탁자에서 공부가 되겠느냐며 반대했다. 우리는 사실 책상을 살 만한 경제적 여유도 없었다. 1952년 당시 하버드 로스쿨 장학금이 1000달러였다. 그 중에서 등록금 600달러, 보험료와 다른 소소한 것들을 빼면 마침내 우리 손에 쥐어지는 돈은 400달러도 채 안 되었다. 그런데 한 달 임대료가 80불이었으니, 공부하는 책이며 먹을거리를 사는 것도 빠듯할 수밖에 없었다. 한국은 전쟁 중이었던 때라 우리가 돈을 보내면 보냈지 받을 생각은 엄두도 못 냈다.

사정이 이렇다보니 남편은 늘 시간이 날 때마다 고물상에 다녔다. 중고 책상을 알아보기 위한 것이었다. 그렇다고 흉한 책상을 사주고 싶지는 않았던 남편은 계속 고물상을 돌았다. 그러던 어느 날 자그마하지만 고상한 중고 책상을 아주 싼값에 사가지고 들어왔다.

책상은 단순히 인테리어 가구가 아니다. 공부하는 특별한 가구다. 남편이 마련해준 책상은 그가 나를 아내만이 아닌 학자로 생각한다는 의미였기에 더욱 귀하게 느껴졌다. 나는 저녁 설거지를 마친 뒤 책상에 앉아 공부했고, 아이들을 재운 다음 다시 그 위에서 공부했다. 엄마가 공부하는 모습을 본 아이들은 공부를 생활의 일부로 받아들였다.

공부가 특별한 일이 아니라 일상이라는 것을 보여주었다면 부모는 아이에게 공부에 관한 거의 모든 것을 해준 셈이다. 굳이 나처럼 하지 않아도 엄마가 책상에 앉아 책을 읽고 일기나 가계부를 쓰는 모습을 보여주기만 해도 아이들에게는 효과가 있을 것이다. 책상에 앉는 것이 자연스럽게 느껴지기 때문에 아이들도 책상과 친해질 수 있다. '공부해라'가 아니라 '공부하자'는 말이 엄마의 입에서 많이 나와야 올바른 것이다.

남편은 어느 집에 가든지 책상부터 보았다. 만약 그 집에 변변한 책상이 없으면 한마디 하고 와야 직성이 풀리는 사람이었다. 아이들에게 공부하라는 말은 한 번도 한 적 없는 사람이지만, 누구보다 아이들 교육에 관심을 기울였기 때문이다. 그는 아이들이 공부할 환경을 만들어주지 않는 부모를 보면 참을 수 없어 했다.

그런 남편 덕분에 우리 집에는 책상이 넘쳐났다. 우리 집에 온 손님들은 무슨 책상이 이렇게 많으냐며 묻곤 했다. 지금도 책상이 많다며 한마디씩 하는 사람들이 있을 정도. 다른 것은 몰라도 책상만큼은 부자였다. 6남매에 우리 부부까지 한 사람이 각자 한 개씩 책상을 가지고 있었으니 그것만 해도 여덟 개였다. 그러나 남편은 그것으로도 만족하지 않았다. 아이들 침실에 각자 하나씩 책상을 만들어주는 것도 모자라, 전의 집주인이 지하 오락실로 잘 꾸며놓은 널찍한 방에 도서관처럼 빙 둘러 책상을 늘어놓았다. 결국 한 사람 앞에 책상이 두 개씩인 셈이었다. 거기에 아이들 친구들이 와도 쓸 수 있는 책상 두 개를 더 들여놓았다. 그리 크지 않은 집 안에 책상만 열여덟 개. 식탁이나 탁자도 가끔 책상 노릇을 하니 그보다 더 많았다고 해야 할지 모른다.

그렇다보니 집안 어디에 있든지 공부하는 분위기가 되었다. 그것이 남편이 노린 것이었다. 책상이 많으면 아이는 자연히 공부하게 된다는 것이다. 실제로 그것은 효과가 있었다. 굳이 공부하라고 하지 않아도 아이의 눈에 보이는 것이라곤 책상과 공부하는 가족들이니, 공부는 우리 집의 일상이었다.

아이들은 학교에서 돌아오면 먼저 그날 숙제부터 했고 지하 도서실로 내려가 나머지 자기가 하고 싶은 공부를 끝낸 뒤에야 저희들끼리 놀곤 했다. 책상이 많으니 아이들이 공부하고 있을 때 친구가 놀러 오면 그 친구도 아이가 공부를 끝낼 때까지 꼼짝없이 앉아 숙제를 하거나 책을 읽어야 했다. 동네에서는 우리 집에만 가면 아이들이 공부를 한다는 소문이 나기도 했다. 어떤 부모들은 공부하기 싫어하는 아이를 일부러 오후에 우리 집에 보내기도 했다. 우리 지하 도서실은 아이들의 도서관이자 동네 아이들의 방과 후 도서관 노릇까지 톡톡히 해냈다.

지하실에 책상을 만들었더니 처음에는 웃지 못할 오해도 생겼다.

"고 박사네는 아이들을 지하실에 가둬놓고 강제로 공부를 시킨다."

그것은 우리 아이들을 질투한 사람이 지어낸 말이었다. 고씨네 아이들 때문에 자신의 아이가 1등을 할 수 없다며 불평하는 부모들도 있었으니 말이다. 물론 한결같이 밝고 친구들이 많았던 우리 아이들은 그런 오해를 금세 씻을 수 있었다.

요즘 어떤 엄마들은 아이를 위한다며 집 안을 예쁘게 꾸미는 데만 신경 쓴다. 깔끔하게 인테리어를 하고 정리정돈하면 기분은 좋겠지만, 아이가 공부하기를 바라는 부모의 마음까지는 볼 수가 없다. 우리 집 같은 경우에는 책상을 우선적으로 배치하다보니 다른 가구를 놓을 공간이 줄어들었다. 심지어 북 케이스가 잔뜩 있는데, 그게 떨어지면 아이들이 다친다며 남편은 사방에 못질까지 했다. 각 진 책상 모서리 역시 아이들에게 위험하다는 이유로 전부 깎아내기도 했다. 전문 목수도 아닌 사람의 솜씨로 깎아낸 책상이 예쁠 리 없었다. 아마 모르는 사람이 보았다면 멀쩡한 가구를 망가뜨렸다며 이해하지 못했을지도 모른다. 솔직히 나도 그런 집 안 모습이 좋지는 않았다. 다른 주부처럼 예쁜 집을 꾸미고 싶었던 것이다. 그러나 우리 집에는 아이들을 위하는 남편의 숨결이 배어 있지 않은 곳이 없었다. 지금 생각해보면 가족을 사랑하는 마음이 흐르던 분위기, 그것이 최고의 인테리어가 아니었나 싶다.

나는 지금 모든 부모들에게 집안에 책상을 들여놓으라고 말하는 것이 아니다. 아이들에게 공부를 시키고 싶다면 모든 면에서 부모의 실천이 우선이라는 것과 그 실천에 어떤 정신이 따르고 있는지를 말하고 싶은 것이다. 집 꾸밈 역시 그 실천을 따르게 되어 있다. 그러므로 부모들은 좀더 현명하게 열성적이어야 한다.

표현하는 아이로 키우는 법

    자신의 생각을 정리하여 표현하는 습관은 아이가 무슨 일을 하든 큰 힘이 된다. 그런데 자신의 생각을 표현하려면 먼저 준비가 필요하다. 그 준비는 부모가 어렸을 때부터 해주어야 자연스럽게 몸에 붙는다.

    우리 아이들은 모두 스스로 생각하고 그 생각을 표현하는 습관이 있다. 그것은 가족회의, 독서, 일기 등 평소 생활 속에서 아이 스스로 생각하고 그 생각을 표현하도록 격려했기 때문이다.

    한국에서는 요새 아주 어린아이라고 해도 학습지 교사를 집으로 오게 해서 공부시키는 것이 보통이 되었다고 한다. 아이의 사고력과 표현력을 높인다면서 가장 접촉이 많은 엄마가 가르치는 게 아니라 일주일에 한 번씩 오는 방문 교사가 아이를 봐주도록 한다. 수십 명의 아이를 다루는 사람에게 잠시 아이를 맡겨놓고는 그 시간에 엄마는 다른 일을 하는 것을 당연하게 여기고 있다. 아무리 생각해도 앞뒤가 맞지 않는 일이다.

아이가 사고력과 표현력을 배우고 그것을 표출하는 시간이 일주일에 하루, 방문 교사와의 시간에만 이루어지기를 바라는 부모는 없을 것이다. 그런데 그런 부모들이 실제로 하고 있는 행동은 그렇다. 부모가 아이의 사고력과 표현력을 이끌어내는 방법을 고민하지 않으니 방문 교사가 오지 않는 나머지 시간에 아이는 수동적인 아이가 되어버린다.

나는 서점에 가서 워크북(workbook)이라는 일종의 문제집을 사서 아이들에게 주었다. 그렇다고 지금 엄마들처럼 일주일씩 분량을 정해 그것을 다 끝내라는 식은 아니었다. 한 계절이 바뀌는 3개월이나 4개월 안에 한 권을 자기 재량껏 공부하면서 끝내게 했다. 자율적인 공부 습관을 들이기 위한 것이어서 무슨 일이 일어나도 가르치고야 말겠다는 식의 공부는 아니었다.

우리는 공부에서 개인의 자발성을 강조했고 각자의 페이스에 따라 자유롭게 공부했다. 각 책의 표지에는 아이의 이름, 시작한 날짜, 끝낸 날짜를 항상 표시하게 했다. 우리는 늘 하루 일과 중 시간을 정해놓고 공부하는 시간을 가졌다. 아이들뿐만 아니라 우리 부부도 그 시간에 공부했다.

아이들이 학교에서 집에 오면 가장 먼저 해야 할 일은 숙제 끝내기였다. 공부하고 있는데 친구들이 놀러 오면 친구들에게도 책상을 주고 공부하게 했다. 이것은 우리 고씨 가족의 규칙이었고 어떤 친구도 이것과 바꿀 순 없게 했다.

"숙제 먼저 끝내면 놀아도 돼."

우리의 규칙은 이웃들에게도 알려졌다. 어떤 부모들은 일부러 숙제를 시키려고 우리 집에 아이들을 보내기도 했다.

엄마들이 학습지 같은 것을 하게 되면 가장 신경 쓰는 부분이 자신의 아이가 다른 아이들과 비교해서 얼마나 더 빠르게 잘하느냐다. 그래서 아이를 다른 아이와 직접 비교하면서 다그치기까지 한다. 그렇게 하면 아이가 주눅이 들어 표현력은커녕 아예 스스로 생각하는 법을 잊고 수동적으로 된다. 그저 엄마 눈치만 보는 것이다. 이렇게 되면 표현력과 사고력을 키우려 학습지를 한다면서 오히려 엄마가 나서서 아이의 표현력과 사고력을 막는 셈이 된다.

우리 집은 형제가 많아도 비교하지 않았다. 많이 하는 아이가 있으면 적게 하는 아이도 있고, 빠르게 하는 아이가 있으면 좀 늦는 아이도 있었다. 그렇지만 나는 그냥 미리 워크북을 사다주고 스스로 하게 했다. 조금이라도 예습하게 되니 학교에 가서 다른 아이들보다 더 아는 것이 있다는 것에 자신감을 가지게 되었다. 그러자 아이들이 더 재미를 느껴서 워크북을 하게 되었다. 모르는 것은 자연스럽게 남편이나 나에게 물으면서 표현하고 우리 설명을 들으면서 생각을 정리했다.

이것은 매일 되풀이되는 일과였다. 일주일에 한 번 오는 방문 교사와는 효과가 다를 수밖에 없었다. 아이들은 매일 공부를 하고 아버지가 일주일에 한 번씩 체크했다. 그때 아이가 더 재미를 느낄 수 있도록 모른다고 하거나 부족해 보이는 것은 고쳐주었다. 그러다보니 자연스럽게 대화도 되고 다른 것에 대해서도 이야기가 되면서 아이들의 생각과 표현력이 커졌다.

큰딸의 경우는 한국에서 자라다가 중간에 미국으로 와서 처음에 영어를 힘들어했다. 그래서 내가 영어를 집중적으로 봐주었는데 영어만 하는게 아니라 자연스레 생활에 대해서도 대화하게 되었다. 영어 문장을 고치는 시간이 좀 오래 걸렸지만 아이와 대화하다보니 아이에 대해 더 많이 알게 되었다. 이처럼 부모가 직접 도와주듯이 가르치면 그 교육 효과가 크다. 공부하는 습관도 들고 표현력과 사고력도 커지면서 아이도 더 잘 이해하게 된다.

아이의 표현력과 사고력을 키워주는 일기쓰기

우리는 일기쓰기를 통해 아이들의 표현력과 사고력을 길러주었다. 미국 사람들은 이런 이야기를 들으면 놀란다.

"아니, 일기를 어떻게 남이 볼 수 있어요?"

미국 사람들은 일기는 너무 개인적인 것이라 부모라도 보면 안 된다고 생각한다. 우리 부부가 아이들에게 일기를 쓰라고 했던 것은 아이 스스로 자기 생활을 의식하고 살라는 의미에서였다. 또다른 이유는 표현력 때문이었다.

사회에 나가면 자신의 생각을 표현하기 위해 남다른 표현력이 필요하다. 그런데 표현력은 어느 순간 신경을 쓴다고 저절로 좋아지는 것이 아니다. 꾸준한 습관에 의해 다듬어져야 한다. 우리 부부는 아이들에게 표현하는 습관을 길러주기 위해 일기를 매일 쓰게 했다. 아이의 사생활을 보려는 의도가 아니었다. 진짜 개인적인 것은 아이들이 알아서 쓰지 않았기 때문에 그 일로 곤란해진 적은 한 번도 없었다.

매일 일기쓰기는 우리 아이들과 생각을 나누고 가르치는 방법으로 너무 훌륭했다. 빠르게 자라나는 아이들의 마음을 읽을 수 있는 통로도 되었다. 일기를 들여다봄으로써 아이들이 어떻게 살고 있는지 금방 알 수 있었기 때문이다. 가끔 주어진 상황을 다른 방법으로 표현해보라고 하기도 했다. 그러면 그 이야기가 진지한 대화로 이어지는 계기가 되었다. 시간이 오래 걸리는 일이었지만 자녀나 부모에게 모두 의미가 있었다.

아이의 표현력과 사고력을 키워주기 위해 했던 것 중에 독후감쓰기도 있었다. 적어도 일주일에 한 번씩은 온 가족이 도서관에 갔다. 도서관에 가면 아이들이 원하는 책을 고르게 했다. 아이들은 자신이 빌린 것만 아니라 오빠나 동생이 고른 책도 읽을 수 있었기 때문에 일주일 동안 꽤 많은 책을 읽게 되었다. 그렇게 많은 책을 읽는 꼬마 아이들이 기특하다고 도서관 사서가 칭찬해주면 아이들은 매우 기뻐하고 자랑스러워했다.

독후감쓰기와 관련해서 아이들이 아직도 기억하는 것이 있다. 학교에서 열리는 연례 책 교환 행사에서 우리가 제일 많은 책을 가져왔다는 것이다. 나는 아이들이 책을 읽으면 짧은 독후감을 쓰도록 했다. 우리 부부는 정기적으로 아이들과 책에 대한 의견을 나누었고, 인물과 연결된 다양한 도덕적 원칙들에 대해 논하였다. 즐겁고도 유익한 시간이었다.

독후감이라고 해서 어떤 격식을 차려서 쓰게 강요한 것은 아니다. 한 줄로 쓰든 장문으로 쓰든 우리 부부는 간섭하지 않았다. 책은 읽는 사람마다 감상이 다 다르고 또 그날 기분에 따라 느낌이 다를 수밖에 없다는 것을 인정했다. 그래서 간단하게 썼다고 해서 혼을 내지는 않았다. 그것도 아이들의 감상이며 나름대로의 표현이기 때문이다.

처음에는 마치 일과를 정리하는 것처럼 독후감을 쓰게 했다. 오늘 책을 읽었는데 그 내용은 이랬고 나는 이렇게 느꼈다는 식이었다. 그리고 그것을 발표하게 했다. 그러면 왜 그렇게 느꼈는지 자연스럽게 토론이 시작되었다. 글을 쓰지 못해도 말은 할 수 있으므로 어려도 토론에 참석해서 표현력과 사고력을 키울 수 있었다.

매주 토요일이면 도서관을 찾아서 독서 카드를 자랑스럽게 내밀던 아이들. 높이 꽂혀 있는 책을 꺼내려고 까치발을 들고 안간힘 쓰던 아이들. 도서관 직원이 기특하다고 칭찬해주면 얼굴이 발그레해져서 수줍은 미소를 짓던 아이들의 모습이 아직도 눈에 선하다.

우리는 일상생활 속에서도 아이의 표현력과 사고력을 키우도록 격려해야 한다고 생각했다. 그래서 꼭 아침 식사는 같이 했고, 그 시간에 이야기를 많이 나누었다. 이것은 분명 다른 미국인 가정과는 다른 우리 집만의 특징이었다.

미국인들은 저녁 식사를 가족이 모이는 시간으로 정하는 것이 관례였다. 그러나 우리 가족은 아침에 모여서 식사하면서 뉴스며 어떻게 사는지 얘기하는 것을 즐겼다. 우리는 '일찍 자고 일찍 일어나기', '밤 12시 전에 한 시간 자는 것이 12시 넘어서 두 시간 자는 것보다 낫다'는 것을 직접 실천했다. 그리고 가족 모두 매일 아침 일찍 일어나 매우 중요한 아침을 꼭 같이 먹었다.

아침을 먹기 전에 아이들은 매일 한 명씩 차례대로 감사 기도를 올렸다. 아침 기도 시간은 아이들이 부모와 관련된 어려움들을 표현하는 계기가 되었다. 한 번은 한 명이 아버지에게 심하게 혼난 뒤 그 남동생이 "하나님, 저희에게 이해심과 인내심을 가르쳐주세요"라고 기도했다. 또 한 번은 남편과 내가 말다툼을 한 뒤 딸아이가 이렇게 기도했다.

"서로를 배려하고 서로의 좋은 점을 감사할 수 있도록 해주세요."

그렇게 은혜로운 아침 시간은 남편과 나와 아이들 사이에 마음을 여는 최고의 지름길이 되었다. 그 시간을 어떻게 할까 아이들이 생각하고 또 그 생각을 표현하느라 사고력과 표현력이 좋아진 것도 큰 소득이었다.

아침 식사 시간에 우리는 서로의 생활을 나누기도 하였다. 예를 들어

누가 저녁을 집에서 먹는지, 누가 시험이 있는 날인지, 전날 무슨 일이 있었는지 등등 활발하게 이야기가 오갔다. 한국에 있는 할머니, 할아버지한테 온 편지도 아침 식사 시간에 읽었다. 그리고 그 편지에 나오는 한국의 휴일이나 친척들에 대해 설명하면서 아이들에게 자연스럽게 뿌리를 잊지 않게 해주었다.

때로는 좋은 소식뿐만 아니라 나쁜 이야기도 오갔다. 어떤 아이는 학교에서 자기가 "칭칭 중국 놈"이나 "납작코"라고 놀림받는 이야기를 했다. 그런 소식을 아침부터 듣는 것은 부담스러운 일이었다. 하지만 그에 맞게 서로 걱정과 사랑을 표현하고, 큰 아이들은 작은 아이들에게 그런 상황에서 어떻게 대처해야 하는지 조언하며 유익한 결과를 가져다주었다.

되돌아보면 하루에 적어도 한 끼를 같이 모여 나눈다는 것이 우리 가족이 한 가족으로 뭉치는 데 얼마나 중요했는지 깨닫게 된다. 아침 식사 시간은 서로의 삶을 나누는 기회가 되었고, 서로의 사랑과 관심을 표현하는 자리였으며, 각 개인을 더 잘 알 수 있는 시간이었다. 그리하여 한 가족이 되는 의미를 이해하고 소중히 여길 수 있게 했다.

요즘 한국 엄마들 사이에서 유행하는 것 중에 '교환 일기'라는 것이 있다고 들었다. 바람직한 일이다. 아이가 쓴 것에 그 옆에 엄마가 느낀 걸 적는 것이 바로 좋은 대화법이고, 아이들의 표현력과 사고력을 길러주는 좋은 방법이기도 하다. 그런데 우리 가족의 경우에는 그런 교환 일기 같은 것을 직접 토론으로 했다. 중요한 것은 부모 자식 간에 오가는 생각과 마음을 담는 형태가 아니라 그 속의 내용이다. 유행하는 형태만 좇을 것이 아니라 어떤 내용이 오가게 할 것인가를 더 고민했으면 한다.

Chapter 5_ 아이와 함께 살아갈
인생의 후배들에게

우리는 어머니로서, 부모로서 자긍심을 가져야 한다. 다른 나라, 다른 집의 아이들이 어떻게 공부하는가 하는 것만 보지
말고 우리의 전통적 교육철학이 어땠는가에 집중하자. 다른 나라의 문화를 뒤쫓기에 앞서 우리 문화, 한국 문화를 바르게
알아야 자신의 기준을 확고히 할 수 있다. 한국의 모든 어머니들이여, 자기 아이에게만 가르침을 주는 데서 머물지 말고
우리 모두 다음 세대에게까지 이어지는 진정한 멘토가 되자.

현명한 어머니들에게

엄마들이여, 아이들에게만 매달리지 말고 자기계발에 힘쓰자. 여자로서, 아내로서, 어머니로서 성장하고 변화하는 것이 보이면 아이들도 '어머니도 저렇게 열심히 하는데 나도 해야겠다'는 마음을 자연스럽게 갖게 된다. 결국 부모의 자기계발은 아이를 위하는 일임을 강조하고 싶다.

자기계발을 하라고 하면 보통 집안일은 내팽개치고 밖으로 나가 사회활동을 해야 되는 것이라고 생각해 반감을 갖는 사람이 있다. 그러나 그런 생각은 자기계발이 무엇인지 제대로 생각하지 않아서 생기는 오해일 뿐이다.

자아실현을 위한 자기계발은 자기에게 주어진 역할에 최선을 다하는 것이다. 자신에게 주어진 일이 무엇이든 그 역할에 임무를 다한다는 생각을 하면 어떤 일을 한다고 해도 부모의 역할을 소홀히 할 수 없다. 부모는 자아계발에 힘쓰는 것이 자기만족을 위한 일이라 생각하기 쉬운데 결과적으로는 아이를 바르게 성장시키는 길이란 것을 잊지 말아야 한다. 그러므로 부모는 죄의식을 갖지 말고 자신에게 맡은 일을 더 열심히 해야 한다. 지금 내가 하는 일이 당장 아이 키우는 일과 관련 없어 보여도 우리 여성들은 주어진 역할 안에서 서로 간의 연관성을 찾으려고 노력해야 한다. 그래야 아내로서, 어머니로서 또 밖에서나 집에서 하는 모든 일을 해낼 수가 있다.

내 경우에도 내가 공부한 사회학을 돌이켜보면 아이를 키우는 데 많은 가르침이 되었다. 아이들에게 멘토로서 조언할 때도 큰 도움이 되었다. 부모로서 스스로 최선을 다할 수 있는 일을 찾아 열심히 하다보면 언젠가는 이 모든 것이 아이를 키우는 데 큰 도움을 주는 날이 올 것이다. 또한 부모 자신에게도 의욕적인 생활 태도를 불러일으키는 긍정적인 효과가 있다. 예를 들어 사회학의 '그룹 다이내믹스(group dynamics)'라는 효과적인 소그룹 운영 방법이 매주 토요일의 가족회의 모델이 되고, 동암문화연구소의 학생들과 젊은 전문인 모임 등에서 원칙으로 동원된 것이다.

자식을 훌륭히 기르려면 어머니부터 실력을 키워야 한다. 여성에게 '일과 가족'은 마치 새의 양 날개와도 같다. 새의 양쪽 날개가 균형이 맞아야 제대로 날아오를 수 있듯이, 자신이 속한 사회와 가족을 한데 묶지 않고는 그 어떤 부모도 훨훨 날아오를 수 없다. 좋은 아내, 현명한 엄마라면 사회에 대해서도 그만큼 잘 알아야 한다는 것이다. 사회의 기본 요소인 가정을 책임지고 있는 여성이 사회를 알아야 함은 당연한 것 아닌가. 또한 자녀 교육이란 아이가 사회에 나가 독립할 수 있는 능력을 갖추도록 이끌어주는 일인데, 내 아이들이 살아가야 할 사회에 대해 아무런 정보도 없으면서 어찌 아이를 리더로 키우겠다 말할 수 있는가.

엄마는 일과 가정 안에서 적절한 균형점을 찾아야 한다. 직장을 얻어 일을 하느냐 마느냐의 문제가 아니라 자기에게 주어진 역할에서 얼마나 신중하고 현명하게 자기계발을 하는가가 관건이 되어야 한다. 또한 일의 우선순위를 명확히 해두어 가정과 일 사이에서 일어나는 갈등과 고민을 덜어내야 한다.

나의 경우 아이들이 고등학교에 올라갈 무렵 일이냐 가정이냐 하는 선택의 갈림길에 서게 되었다. 사실 그때는 재단에서 연구비를 타기 위해 많은 시간과 노력을 기울이던 시기였다. 연구비 신청 마감을 앞두고 고민도 많았는데 아이는 아이대로 갑자기 정체성 문제에 부닥쳐 대화와 위로를 필요로 했다. 또 연례 사회학회는 늘 노동의 날로 아이들의 개학 직전이었다. 내 전공에서 대단히 중요한 모임이었지만 거의 나가본 적이 없다. 내게는 연구비를 타는 일도 물론 중요했지만 한창 뒷바라지가 필요한 아이를 돕는 문제가 더욱 중요했다. 이때 나에게 든 생각은 이것이었다.

'아이들의 사춘기는 단 한 번밖에 없다.'

연구비는 지금 못 타더라도 또다시 신청할 기회가 있었지만, 아이의 사춘기는 한번 놓치면 다시 오지 않을 것이었다. 게다가 만에 하나 이 시기를 잘못 보내면 인생의 길이 달라질 수도 있다는 생각이 들었다. 결국 나는 학자보다 어머니의 역할을 우선으로 하여 아이를 택했다.

그저 아이가 고등학교에 입학하는 것인데 왜 그렇게 갈등했느냐며 의아해하는 사람도 있을 것이다. 하지만 당시는 그 전까지 착실하게 공부하던 아이가 갑자기 한 학기를 휴학하겠다고 말한 때였다. 나는 아이와 대화를 나누며 스스로 바른 선택을 하도록 도와야 했다. 그리고 이러한 일은 하루 저녁에 설득할 수 있는 종류가 아니었다.

아이에게 부모의 관심과 시간이 절실한 시기였던 것이다. 내가 힘든 상황에 있다고 해서 아이에게 '무조건 안 된다'고 하는 것은 현명하지 못한 행동이다. 평상시 아이에게 모든 문제는 대화와 이해로 해결되며 스스로 문제를 해결하는 방법을 찾자고 강조했기 때문에 이번에도 그렇게 하고 싶었다. 나는 아이와 더 많은 시간을 보내기로 결심하고 집중적으로 아이들과 대화를 했다. 아이의 눈높이에 맞춰 구체적인 예를 들면서 아이의 선택이 가져올 결과를 생각해보게 했다. 아이는 곰곰이 생각한 뒤에 자신에게 이로운 결론을 스스로 내렸다.

재미있는 일은 우리 집 아이들이 하나같이 대학 2학년이면 한 번씩은 휴학하겠다고 말했다는 것이다. 그럴 때마다 힘이 빠졌지만 나는 어느 한 아이도 야단치지 않았다. 대신 대화를 통해 그 선택의 책임은 고스란히 자기가 질 수밖에 없음을 이야기해주었다. 아이들은 앞날을 진지하게 생각해보고는 예전보다 더 정신차리고 다시 학교를 다니겠다고 말했다.

아이들과 이야기해보면 알겠지만 사무적으로 용건만 전달하는 방식으로는 부모가 어떤 이야기를 하는지 아이에게 이해시킬 수 없다. 아이가 이해를 못 한다면 이해하기 쉬운 표현을 써서 이야기하고, 그래도 이해를 못 한다면 다시 한 번 이야기해주는 방법을 썼다. 그러느라 아이를 붙들고 밤을 샐 경우도 많았다. 그럴 때는 맛있는 밤참이나 색다른 간식을 만들어주며 아이에게 전적으로 사랑을 쏟았다.

나는 아이와 대화하고 설득하는 과정에서 아이들의 문제를 해결할 사람은 나밖에 없다는 것을 깨달았다. 그러니 우선순위가 아이들이 될 수밖에 없었다. 부모가 일과 아이에 대해 우선순위를 확실히 해두면 초조함은 사라진다. 처음에는 걷잡을 수 없을 것만 같던 마음도 결정을 내리는 순간 편안해진다.

나 역시 일단 마음속으로 우선순위를 정한 다음에는 더 갈등하지 않았다. 어차피 제한된 시간 안에 할 수 있는 것은 한계가 있기 때문에 고민만 하다가는 두 가지 일을 다 놓칠 수도 있다. 그보다는 하나를 확실하게 하는 편이 낫다. 두 가지를 모두 얻을 수 있는 정답이 있는데 내가 잘못 선택한 것은 아닌가 생각하면 계속 후회만 하게 된다.

일을 제대로 해내기 위해 우선순위를 두는 것인 만큼 일단 결정을 내리면 후회 없이 밀고 나가야 한다. 내 경우는 아이들을 지원해줌으로써 아이들이 내릴 올바른 선택에 대해 생각하고, 그것에서 큰 보람을 느꼈다.

다 알다시피 어머니라는 존재는 아이에게 음식만 잘 해주고 옷만 잘 입혀준다고 다가 아니다. 그보다 더 중요한 일, 어머니밖에 못 하는 일을 해야 한다. 어머니 스스로 자신의 정체성에 대해 확고해야 하고, 한 아이의 어머니로서 아이에게 나만이 해줄 수 있는 것이 무엇인가를 바로 파악하고 있어야 한다. 아이들에게 가장 가까이서 위로해줄 수 있는 사람이 현재 자신밖에 없다면 어머니는 만사를 제쳐두고라도 아이를 위로해주어야 한다. 때로는 식사를 챙겨주는 것을 거르더라도 아이가 대화를 원한다면 대화 상대가 되는 것이 더 가치 있는 일이 될 것이다. 어머니만이 할 수 있는 일이 있다. 그것을 잘 판단하고 이해해야 한다.

나 역시 올바른 어머니의 역할에 대해 많이 고민했다. 그렇게 해서 얻은 결론은 아이를 따뜻하게 감싸주면서 아이들 눈높이에서 세상을 함께 보고 대화 상대가 되는 것이 어머니의 역할이라는 것이었다. 내가 아이들의 내적인 부분을 책임졌다면 반대로 권위적인 역할은 아버지인 남편이 맡았다. 벌을 준다거나 아침에 몇 시에 일어나야 한다는 등의 일들은 나보다 남편이 더 잘할 것이라 생각했고, 그래서 남편에게 맡겼다. 남편 생각도 나와 같았기에 우리 부부의 역할은 확실히 구분되었다. 아버지는 외적 부분인 선을 긋고 규칙을 지키는 일에 대해, 엄마인 나는 아이들의 고민과 아버지가 알면 용서하기 힘든 것들에 대해 신경 썼다.

이러한 역할 분담은 집집마다 다를 수 있다. 부모의 성품에 따라 합의하면 된다.

아이들이 중학생 때의 일이다. 뉴헤이번의 7개 교회가 기독교 청년연합회(cooperative youth group)를 구성했다. 아주 우수하고 성실한 성공회 부목사가 선생님이 되었고 감리교, 장로교, 침례교 등 다른 종파의 아이들이 한 자리에 모였다. 그 선생님은 아이들의 존경을 받았고 인기도 많았다. 마치 예수와 그를 따르는 제자들을 연상시킬 만큼 아이들이 그 이상 바랄 수 없는 선생님이었다. 게다가 배우는 것도 많고 가까워진 아이들도 많아서 이상적인 모임이었다. 나는 그때 학부모 대표로 자문 일을 맡고 있었다.

하루는 나의 세 아들들이 아버지 몰래 엄마하고만 대화할 수 없겠느냐고 물었다.

우리 아이들은 당시 청년회의 리더였다. 그래서 청년회 선생님이 우리 아이들에게만큼은 자신의 비밀을 털어놓아야겠다고 생각했었나보다. 그는 자신이 동성연애자라는 사실을 우리 아이들에게 이야기했다. 이 사실을 알고 있는 사람은 우리 아이 세 명뿐이었다. 아이들은 그 사실에 당혹감을 넘어 공포까지 느꼈고 나에게 왔을 때는 겁에 질려 있었다. 아이들은 아버지가 이 사실을 알면 교회 청년회 활동을 할 수 없을 것이라고 말했다. 자신들은 그 모임이 정말 좋기 때문에 빠진다는 것은 상상할 수 없다고 했다. 게다가 그 목사님은 정말 훌륭한 선생님이기 때문에 그분의 믿음을 저버릴 수 없다고도 했다.

"엄마, 어떻게 하면 좋아요?"

나도 그 전까지는 동성애에 대해서 아는 바가 전혀 없었다. 나는 이 사실을 아버지에게는 비밀로 하겠다고 약속했다. 그 뒤로 나는 내가 구할 수 있는 책을 모두 읽었다.

나는 여름 종교 캠프의 한 주제로 의사, 심리학자, 종교 지도자 등 전문가 패널을 구성하여 이 문제에 대해서 배워볼 기회를 마련하였다. 그 해 가을에 나는 '나이 차별, 성 차별, 인종 차별에 대한 새로운 시각(A New Look Agism, Sexism and Racism Forum Series)'이라는 프로그램을 연속 포럼으로 기획하였다. 그리고 성 차별에 대한 토론 패널에 동성애자들도 참가하도록 했다.

그 과정에서 이 같은 성적인 성향은 개인적인 선택이 아니며 그들이 무분별한 성생활을 하는 것도 아니라는 것 등 나 역시 몰랐던 부분을 알 수 있었다. 아이들 또한 자기와 다른 가치관과 사람들에 대해 심층적인 이해를 할 수 있는 계기가 되었다.

남편이 이성적인 부분을 이끌어주는 역할을 했다면, 나는 뒤에서 아이들의 감정을 살피는 역할을 했다. 아이들의 자신감과 안정감을 키워주기 위해 이같이 내적인 부분에 신경을 썼다.

한번은 작은딸의 집에 갔을 때이다. 딸아이가 어릴 때 아이들의 아버지가 써준 일정표가 아직도 딸의 집 냉장고 옆면에 붙어 있었다. 아마도 손주들에게 부모로서 하고 싶은 말을 자기 아버지의 가르침으로 대신했던가보다.

아이들이 성장하기까지는 수많은 일이 일어나고 아이의 성장에 영향을 주는 요소도 너무나 많다. 어느 한 가지만 강조해서는 안 된다. 하지만 오늘날 한국의 자녀 교육을 보면 눈에 보이는 성적과 등수에 급급한 나머지 눈에 보이지 않는 자질이나 덕목 등 아이의 정서적인 측면에 대해서는 신경을 덜 쓰지 않는가 생각될 때가 있다. 이런 식으로는 아이가 건강하게 자라서 열정과 능력을 100% 내뿜는 진정한 리더가 될 수 없다. 다른 사람을 감동시키고 존경받을 만한 리더가 될 수 없는 것이다. 아이에게 여러 가지 요소들이 골고루 영향을 미칠 수 있도록 역할 배분도 하고 다양한 경험도 시켜야 할 것이다.

아이에게 하는 투자가 가장 값지다

결혼하고 아이를 낳으면서 자신의 생활이 사라졌다는 불만을 품는 엄마들이 많은 것 같다. 가정과 아이를 하나의 짐이나 자신의 발목을 잡는 존재로 생각하는 것은 안타까운 일이다. 아이를 리더로 키우고자 한다면 이런 생각은 일찌감치 버려야 한다.

아이에게 하는 투자가 삶에서 가장 값진 투자다. 나는 아이들을 보고 있을 때 삶의 보람을 느낀다. 내가 자부심을 가장 많이 느낄 때도 아이들을 바라보고 있을 때다. 나는 학자로서 인정받아 예일대 법대에서 강의도 했고, 국제적으로도 유네스코에서 미국 대표로, 일본에서는 교환교수로 연구 활동도 활발히 했다. 그러나 그 모든 일까지도 좋은 엄마가 되기 위한 것이었다고 느껴질 만큼 엄마로서의 삶이 가장 우선이었고 또 행복하고 가치 있다고 생각한다. 엄마라는 역할은 충분히 자부심을 느낄 수 있는 자리다. 그런데 이처럼 가치 있는 역할을 왜 어떤 사람은 스스로 지옥으로 만드는지 안타깝다.

모든 것은 생각하기 나름이다. 아이를 키우면서 얻는 보람과 기쁨은 머리로 이해할 수 없다. 섣부른 계산으로 안 좋다는 결론부터 내리고 제대로 된 노력도 기울이지 않는다면 점점 더 힘들게만 느껴지는 것이 엄마의 역할이다.

어떤 사람들은 나의 교육법에 대해 미국 사회에서나 통하는 법이라고 말할 것이다. 한국에서 아이를 키우는 것이 얼마나 힘든지 모르고 하는 소리라고 말하는 엄마들도 있다. 그러나 미국 사회라고 해서 아이를 많이 낳아도 문제가 없고, 엄마가 일하면서도 아이를 남다르게 기를 수 있다고 생각하는 것은 오해다. 자율과 책임을 강조하는 사회적 분위기가 한국에 비해 좋은 것은 사실이다. 그러나 아이들에게는 늘 선택과 결정하는 힘이 요구되므로 혼란스러워하는 아이도 있다. 그런 아이에게는 미국의 교육 환경이 한국보다 나을 게 없다. 미국 사회에서 아이를 키우는 데는 사회적 기준이 세워지지 않았다고도 말할 수 있다. 미국은 많은 문화와 다양한 가치관이 뒤엉켜 자발적인 학습 태도가 무엇보다 중요한 곳이다. 가정에서 담당해야 할 교육적 책임이 한국에서보다 많은 곳이다.

나는 한국전쟁으로 인해 애초의 계획과 달리 미국에 유학 간 상태에서 결혼하게 되어 경제적 기반도 없이 살림을 시작했다. 자아실현 때문이 아니라 생계 유지를 위해서 결혼 후에도 일을 놓을 수 없었다. 남편 역시 두 개의 박사 학위를 공부하던 중이어서 내가 적극 도와야 했다. 아이를 낳아도 옆에서 축하해주거나 도와줄 친정 식구나 친척도 없었다. 돈이 없으니 아기를 돌봐줄 사람도 구할 수 없었다. 한국이었다면 친정 식구나 친척에게 잠시 아이를 맡길 수도 있고 그도 아니면 이웃에게라도 부탁할 수 있었을 것이다. 요즘이었다면 놀이방에라도 아이를 맡겼을 텐데 당시에는 놀이방도 찾아볼 수 없었다. 시어머니나 친정어머니도 없었고 보육 시설도 없었다. 1950년대만 해도 보스턴의 한국인은 한 손으로 셀 때라 가까운 한국 이웃도 없었다. 대부분 결혼하지 않은 남학생 혹은 독신으로 연구하러 온 학자들로서 오히려 우리의 도움이 필요한 사람들뿐이었다. 영사관도 문화원도 한인교회도 없을 때다. 한국에 있는 사람들이 미국에 대해 품는 환상과는 너무도 거리가 있었다. 오히려 완전히 반대의 상황이었다.

아이를 낳아도 남편말고는 병원에 찾아올 사람이 한 명도 없으니 남편이 꾀를 낼 정도였다. 남편은 병원 신생아실에서 창으로 갓난아기를 보여줄 때 어느 가족보다 먼저 아기를 보러 갔다.

남편은 그 이유를 이렇게 말했다.

"내 아이가 제일 먼저 나와야 뒤에 서서 기다리는 다른 사람들이 예쁘다고 한마디라도 하지 않겠소? 끝에 가면 우리 아기를 보는 사람이 나밖에 없을 터이니."

미국에서의 생활은 그만큼 고독했다. 한국에서는 급할 때 서로 도움을 주고받을 수 있는 가족이나 친척, 친구, 이웃이 있다지만 고학생 시절 돈이 떨어져도 누구한테 돈을 빌릴 수도 없었다. 아기를 낳아도 미역국을 끓이는 일조차 자기 손으로 해야 했다.

아예 한국이 어디인지도 모르는 미국 사람을 만날 때면 절망감마저 느껴야 했다. 한국에 살았으면 느끼지 못할 것들이었다. 항상 감색 양복에 넥타이를 매고 두꺼운 법률책이 가득한 가죽 서류 가방을 들고 다니던 남편은 이발사에게서 "어느 중국집에서 일하십니까?"라는 질문을 받았다. 집을 이사하려고 알아볼 때도 전화로는 약속이 잘되었다가 막상 집을 방문하면 "중국인이란 말은 안하셨잖아요!" 하면서 퉁명스럽게 쏘아 대는 집주인을 만나야 했다. 이것이 하버드대가 있는 미국의 교육 도시에서 벌어지는 일이었다.

그럴 때마다 우리는 앞으로 이런 사람들의 반응을 접하게 될 동양계 모든 아이들이 걱정되었다. 실제로 우리 아이들은 그런 상황을 만나 고민하기도 했다.

미국 또는 그 밖의 나라로 아이의 유학과 이민을 생각하는 엄마들에게 이런 말을 하고 싶다. 미국에서만 특별한 아이를 키울 수 있다는 생각은 잘못이다. 이곳은 이곳대로의 도전이 크며 어느 상황에 있든 부모의 특별한 마음과 애정만 있다면 아이를 특별한 아이로 키울 수 있다. 올바른 자식 농사는 바로 부모의 노력으로 일궈진다.

사실 사회가 발전하면서 생활 편의 시설과 도구도 늘어나 생활하는 게 쉬워지고 있다. 특히 예전에 여자들이 도맡았던 빨래며 청소 등 힘든 일도 많은 부분 기계가 덜어주고 있다. 아이 키우는 데 필요한 용품이며 이유식 등 먹을거리까지 시중에 나와 있다. 그런데도 현재의 한국 사회를 보면 이상하기만 하다.

부모뿐만 아니라 정작 자기 아이를 그렇게 어렵게 키우지 않았던 할머니까지 힘을 합해도 아이 하나 보는 데 진땀을 빼는 가정이 있는 듯하니 말이다. 아이에 관한 일이라면 작은 것 하나에도 예민하게 반응하는 부모들의 탓도 있다. 부모는 아이가 인생을 살아가는 데 필요한 큰 틀을 잡아주는 것에 신경 써야 할 것이다. 그런데 너무 사소한 것들에 매달려 일희일비하고 있다면 아이를 키우는 일이 힘들 수밖에 없다.

아이를 돌보는 데 서로 간에 의사소통이 안 되고 분업이 안 된 것도 자녀 교육이 힘든 이유가 될 수 있다. 어머니는 어머니의 역할, 아버지는 아버지의 역할, 할머니는 할머니의 역할을 미리 정해야 한다. 사정에 따라 원칙 없이 아이를 다루다보면 아이에게 혼란만 가져다주게 되며 어른들 역시 더 힘들어진다. 사전에 역할을 조율하고 한결같은 태도로 아이를 다루면 자녀 교육이 훨씬 효과적이며 힘도 덜 들 것이다.

우리는 어머니로서, 부모로서 자긍심을 가져야 한다. 어머니인 것을 큰 멍에라도 진 것처럼 생각할 필요가 없다. 더불어 당부하고 싶은 것이 있다. 다른 나라, 다른 집의 아이들이 어떻게 공부하는가 하는 것만 보지 말고 우리의 전통적 교육철학이 어땠는가에 집중하자. 다른 나라의 문화를 뒤쫓기에 앞서 우리 문화, 한국 문화를 바르게 알아야 자신의 기준을 확고히 할 수 있다. 세상 밖, 남과 비교하기 전에 내 자신과 한민족의 전통을 알면 현명한 사람, 어머니 그리고 아내의 역할을 보다 잘 감당할 수 있다. 또 자기계발도 잘된다. 한국의 모든 어머니들이여, 자기 아이에게만 가르침을 주는 데서 머물지 말고 우리 모두 다음 세대에게까지 이어지는 진정한 멘토가 되자.

수레바퀴의 또다른 축인
아버지들에게

앞에서 나는 아내들에게 남편의 권위를 세워주라고 호소했다. 다시 말하지만 가부장적인 시대로 돌아가라는 뜻이 아니다. 남편이 가장으로서 아버지라는 위치에 서게 되면 남편의 역할을 구별해주고 존중해야 한다는 의미다.

너무나 당연한 이야기지만, 아이를 키우는 것은 부부가 함께 해야 할 일이다. 흔히 아버지의 역할은 어머니의 역할에 비하면 별것 아니라고들 하는데, 이 말은 그동안 아버지가 가정 안에서 아버지의 역할에 소홀했기 때문에 생겨난 것이다. 즉, 오늘날 아들이나 딸에게 아버지가 주는 영향이 얼마나 큰가를 명심해야 한다. 자기 아버지를 역할 모델로 한 아들에게나 성공한 많은 여자들에게 아버지들이 건넨 사랑과 격려가 얼마나 중요했는지 모른다. 훌륭한 아버지를 둔 아이들이 얼마나 행복하고 안정적으로 자라는지를 안다면 아버지의 역할을 가볍게 여기지 않을 것이다.

아버지가 없는 가정에서는 누군가가 아버지의 역할까지 함께 한다. 우리 집의 경우만 해도 그랬다. 내 남편은 아버지로서 본인의 목적과 의욕이 뚜렷했고 자녀 교육에 성의를 다하는 남다른 아버지였기 때문에 나 역시 엄마의 역할에 충실할 수 있었다. 가끔 남편이 오랜 출장을 간다거나 하면 이상하게도 나의 역할이 달라졌다. 남편의 권위가 옮겨간 듯 나는 아이들에게 한층 엄격해졌고 질서를 잡기 위해 노력했다. 그럴 때마다 나는 남편이 하고 있던 아버지 역할의 중요성을 깊이 생각하게 되었다.

아버지의 권위로 집안에 질서가 생겨야 엄마의 손길도 따뜻해질 수가 있다. 엄마와 아버지의 역할이 명확하면 아이는 균형을 잡고 바른길을 갈 수 있다.

민주주의와 자유주의의 상징인 미국에서 자란 우리 아이들은 아버지의 권위에 대해 유교적이라며 반발하기도 했다. 그러나 그것은 정당성에 대한 의문을 털어놓는 의미에서였지, 아버지가 만들어낸 원칙에 대한 불만은 아니었다.

아이들은 나와 남편이 함께 만든 집안의 가훈이나 가치관 등에 100% 신뢰를 보였으며 평생 가슴에 간직하고 있다. 또 그들의 제자들에게도 전달하고 있다.

'한 사람의 위대함은 그가 얼마나 많은 사람들에게 도움을 주었는가로 평가된다.'

'실천 없는 이론은 생명력이 없고 이론 없는 실천은 그 혼이 없다.'

아이들이 써놓은 글이나 인터뷰 내용 혹은 신입생 환영사(예일 법대 웹사이트에 나옴)에서 나는 남편이 강조했던 가치관과 인생관을 엿볼 수 있었다. 그런가 하면 아이들을 키울 때 심어주었던 원칙들을 그들의 가정에서 발견하기도 한다.

'늘 자정 전에 잠자리에 들고 새벽에 일어나라.'

'아침은 늘 함께 먹는다.'

나와의 경험이 부드럽고 따스한 감성으로 또는 창조적인 것으로 남아 있는 반면에 아버지의 가르침은 어떤 규정과 행동의 기준을 지키는 것으로 그들의 교육철학에 많은 영향을 주고 있다. 아버지의 역할이 얼마나 아이들에게 중요했는지를 다시 한 번 깨닫게 된다.

아이들이 회갑 기념집에 쓴 글을 보면 아버지가 부드러운 존재는 아니었던 것 같다. 지나친 요구를 하는 '독재자'나 기대가 많은 존재 등으로 남편을 표현한 것을 봐선 말이다. 하지만 아버지의 권위적인 모습 속에서 어머니의 사랑과는 다른 방식의 사랑을 느끼고, 그런 사랑을 쏟아준 아버지에게 진실로 고마워하고 있었다.

어느 누구도 날 때부터 좋은 부모로 태어난 사람은 없다. 얼마나 노력하느냐에 따라서 좋은 부모가 될 수 있다. 아버지는 적게 움직여도 큰 영향을 주는 존재다. 그 점을 늘 마음에 새기고 아이를 대해야 할 것이다.

내 남편은 고단한데도 꼭 아이들과 함께 공부해주었다. 우리 아이들의 공부 습관은 남편이 만들어주었고, 실질적인 기초 학습능력을 키워준 것도 남편이다. 남편은 아이에게 일방적으로 과제를 내주는 것이 아니라 함께 과제를 만들고 가르쳐주던 선생님이었다. 나는 그를 가리켜 미국 표현으로 'Born teacher', 즉 타고난 선생이라고 불렀다.

나의 아들들은 자기 아버지가 했던 것처럼 자신의 아이들과 공부를 한다. 자신이 아버지와의 함께 했던 공부가 얼마나 효과적인지 기억하기 때문에 그대로 실천하는 것이다. 며느리들이 우리 아이들, 즉 자기 남편에게 항상 고마워하는 부분도 바로 이것이다. 자신의 일에 탁월한 아들들이지만 아버지로서 좋은 역할 모델이 없었다면 지금처럼 손주들을 대할 수 없었으리라는 것을 며느리들도 알고, 지금도 나한테 아들 잘 길러 주어 고맙다고 한다.

현재 아버지가 된 나의 아들들은 상을 받거나 연설할 기회가 있으면 꼭 자신의 아이들을 그 자리에 동행한다. 아이들에게 아버지가 어떤 일을 하고 있는지, 어떤 성취를 이루었는지 눈으로 보게 하는 것이다. 아이들은 누구나 아버지와 어머니를 최고라고 생각하게 마련이고 그것이 자신감의 원천이 되기도 한다. 그러나 그러한 생각은 성장하면서 달라지게 마련이다. 그러나 내 아이들이 아버지에 대해 그러했듯이 손주들도 자신들의 아버지에 대해 늘 자부심을 지니고 있다. 아버지의 사회생활과 그 안에서 거둔 성과를 가감 없이 보여주기 때문이다.

그렇게 어른들의 행사에 아이들을 동행하는 일은 또다른 공부가 된다. 아이들은 아버지의 직업에 관심을 갖게 되고 아버지가 보여주는 사회생활 속에서 공부해야 할 동기를 찾는다.

남편과 내가 모두 계절학기에 강의를 한 적이 있었다. 그때 고등학생인 우리 아이들도 함께 학교에 데리고 갔다. 여름 방학에도 부모가 모두 집을 비우고 아이들만 두는 것이 마음에 걸렸기 때문이다. 그때의 기억으로 아이들은 "그때 참 아버지는 어려운 이야기를 알기 쉽게 또 오래 기억할 수 있게 잘 강연하셨지요"라고 말하곤 한다. 아마도 아버지를 교수로서 자기들의 역할 모델로 삼는 듯하다. 또 공적인 자리에서 예절을 배울 기회를 갖게 되어 의젓해지기도 한다. 식당에서나 어른들이 있는 곳에서는 떠들지 말아야 한다고 잔소리할 필요가 없다. 조금 지나면 오히려 아이들 자신이 스스로 예의에 맞게 옷을 입었는지 점검하는 수준이 되기도 했다. 아버지의 역할을 제대로 하면서 사회인 아버지를 보여주는 것은 아이들에게 매우 큰 교육이 된다.

집 안에서 엄격한 아버지가 사회에서 당당하게 일하고 있는 모습만으로도 아이들은 아버지를 존경하게 되고 배울 점을 찾는다. 아버지 스스로 자신의 권위를 세우고 역할을 완수하는 것이 중요하다 하겠다.

역할 모델이 되어주는 것 외에 아버지들에게 부탁하고 싶은 것이 또 있다. 예전에는 아내가 일을 한다고 하면, 자격지심에 반대하는 사람이 많았다. 맞벌이가 대부분인 요즘에도 아이를 낳으면 여자들이 직장생활을 포기하는 경우가 많다. 육아는 전적으로 여자의 역할이라는 생각이 아직도 지배적이기 때문이다. 남자들은 아버지의 역할에 충실할 것은 물론 아내가 어머니 역할을 잘할 수 있게 돕는 것이다. 아내의 사회생활을 권장하고 혹 아내가 전업 주부라 할지라도 되도록 그 안에서 만족을 느낄 수 있게 도와야 한다.

아이들에게는 엄마 역시 중요한 역할 모델이다. 따라서 사회생활과 상관없이 늘 자기완성을 위해 노력하는 엄마의 모습은 아이들의 가치관과 생활 습관에 중요한 영향을 끼친다. 자아실현을 이룬 부모들의 모습을 보여준다면 아이들은 자연스럽게 부모를 존경하며 따를 것이다.

사회에서 자신의 일을 멋지게 해내는 아내를 존중하는 아버지의 모습 또한 아이들을 행복하고 안정되게 만든다. 만일 전업 주부라면 집안일을 하는 아내에 대한 고마움과 존중을 보여줄 필요가 있다. 우리 집에서는 아버지도 아이들도 음식을 먹고 나선 얼마나 맛있다든가 하는 식으로 엄마의 정성을 고마워하는 말이 빠지지 않았다. 작지만 부인, 엄마를 존중하는 마음의 한 표현이다. 어머니에 대한 아이의 태도에는 아버지 영향이 크다. 엄마를 시시하게 여기는 아이가 엄마의 말을 들을 리 없다. 아내가 아버지의 권위를 세워주어야 하듯이 남편도 엄마의 권위를 세워주어야 한다는 말이다.

아이를 성장시키기 위한 조건

아이를 키우는 일은 수레바퀴를 굴리는 일과 같다. 바퀴가 한쪽만 있다거나 바퀴의 높이가 다르면 수레바퀴는 기울어진 채 제대로 굴러갈 수 없다. 남편과 아내라는 양쪽 수레바퀴가 서로를 존경하고 신뢰하는 모습을 보여야만 자녀 교육이라는 수레를 잘 이끌 수 있다.

이렇게 아버지, 어머니의 역할이 중요하다는 것을 아는 나로서는 이른바 한국의 '기러기 아빠' 현상을 안타깝게 생각한다. 각기 사정에 따라 외국에 갈 수는 있지만, 아버지와 떨어져 살면서까지 배워야 하는 공부가 있는지 의문이다. 그 아이들은 외국의 언어와 공부를 할 수 있을지는 몰라도 아버지만이 줄 수 있는 평생의 가르침과 애정은 잃는 것이다. 또한 아버지의 역할은 그저 돈을 벌어주는 사람이라는 삭막한 개념만이 은연중에 남게 될 것이다. 그렇게까지 해서 얻고자 하는 아이의 교육이란 과연 무엇인가.

어쩔 수 없는 상황으로 '기러기 아빠'가 되었거나 되어야 한다면, 그 안에서 가능한 아버지의 역할에 대해 고민해야 한다. 자주 연락하는 것은 물론이고 아이의 변화를 살펴야 한다. 떨어져 있다고 해도 아이들의 생활에 관심을 가져서 아이들이 아버지의 노력을 알 수 있도록 해야 한다. 자신이 경제적인 지원자일 뿐만 아니라 아버지로서 제 역할을 하려고 노력하고 있다는 것을 보여주어야 한다. 이메일이나 전화 등을 자주 하면서 아이의 변화에 대한 자신의 의견을 밝히고, 같이 홈페이지를 꾸민다거나 해서 계속 함께 있는 기분을 느끼게 하는 것도 좋은 방법이다.

외국에서 교육받는 아이는 한국에 있는 아버지의 상상과는 전혀 다른 모습으로 성장할 수도 있다. 아이의 변화에 맞추려고 노력해야만 아버지 스스로도 아이들의 변화에 적응할 수 있고, 아이와의 관계도 서먹해지지 않는다.

평소 많은 대화를 해두어야 아이에게 아버지로서 영향력을 발휘하고 중요한 멘토로서 인정받을 수도 있다. 아버지 입장에서는 절실한 마음을 담아 온갖 지원을 다해주고 있다지만, 멀리 떨어져 있는 아이 입장에서는 겉으로 드러나는 것밖에 알아채지 못한다. 그러므로 말하지 않아도 다 알 것이라 생각하지 말고 끊임없이 대화하려고 노력해야 한다.

'아내가 알아서 하겠지' 하는 식은 안 된다. 아이들의 고민 중에는 분명 엄마가 필요한 순간이 있지만 아버지가 아니면 안 되는 순간도 있다. 그 기회를 아이들에게서 빼앗아서도, 아버지의 자리를 포기해서도 안 된다. 아들에게도 딸에게도 아버지는 아주 중요하다.

아버지의 권위 세우기

아버지가 권위를 세워야 함은 당연하지만 강압적인 권위는 아이에게 역효과만 불러일으킨다. 아이들이 성장하면서 아버지란 존재를 벽으로 느껴서는 안 된다. 아버지는 자신의 주장을 아이들에게 이야기할 때 충분히 설명하고 이해시켜야 한다. 특히 아이가 하고자 하는 것을 반대할 때는 반드시 그 이유를 알려주어야 한다. 그래야만 오해가 없다.

우리 집의 경우 가장 공부 성적이 뛰어나고 공부에 흥미가 많았던 아들이 미술을 하겠다고 한 적이 있다. 남편은 그런 아이의 선택에 몹시 화를 내면서 반대했다. 그런데 그 반대 의견을 나타내는 형식이 너무나 거칠고 엄격했다. 나는 남편에게 이렇게 말했다.

"당신이 아이의 선택에 반대하더라도 아이가 그려놓은 것을 집어 던지거나 해서는 안 되죠. 그러면 아이가 얼마나 충격을 받겠어요? 다른 식으로도 얼마든지 아버지의 의견을 전달할 수 있지 않은가요?"

나는 아들과 남편을 서로 화해시키고자 노력했다. 사실 나도 남편과 같은 의견이었다. 그러나 남편의 표현 방식은 아이와의 관계에 벽을 쌓는 일이라고 생각했다. 나는 아이의 발전과 아이와의 관계를 위해 남편도 설득했다.

나는 아이들을 한없이 사랑하는 남편의 본심을 알고 있었다. 부부가 서로의 역할을 나누는 것이 얼마나 중요한지는 이렇게 갈등이 깊어질 때 더욱 잘 드러난다. 남편과 아이가 평행선을 긋고 있는 동안 나는 아이에게 따뜻하게 다가갔다. 내 어머니가 나와 아버지 사이에서 서로를 이해할 수 있도록 다리 역할을 했듯이 나 역시 남편과 아들 사이의 다리 역할을 해야 했다.

"아버지가 너에게 그러는 것은 너의 미술 실력이나 너를 무시하는 것이 아니야. 아버지는 미국에 와서 소수민 법학자, 정치학자로 힘든 일을 많이 겪으셨다. 그러니 미국에서 사는 것이 만만치 않다고 생각하시는 거야. 이런 세상에서 미술로는 제대로 먹고 살기가 어렵다고 생각하시는 것도 당연하지 않겠니? 나 또한 그렇게 생각한다. 아버지는 너희들이 보다 안정적인 일을 찾기를 바라서. 나는 네가 아버지의 심정을 알아주었으면 해."

아이들도 아버지가 가장으로서 얼마나 노력하고 소수민으로 많은 어려움을 겪었는지 알고 있었다. 그래서 아버지의 걱정을 쉽게 이해했다. 물론 그 아이가 당장 내 앞에서 생각을 바꾼 것은 아니었지만, 아버지에 대한 오해만큼은 확실히 푸는 것 같았다.

그 아이는 스스로 의과대학으로 진로를 정했다. 아버지의 강압에 따른 것이 아니라 좀더 깊은 생각 끝에 나온 것이라 미술을 포기한 것에 후회가 없다고 했다. 나중에 의과대학을 간다기에 왜 하필 의과대학이냐고 물어보았다. 그랬더니 자기는 손재주가 있고 손으로 일하는 게 좋기 때문이라고 말했다.

결국 일이 잘 마무리되기는 했지만 나는 남편이 직접 자기가 반대하는 이유를 설명했더라면 그 아들의 고민도 조금 가벼워졌을 것이라고 생각한다.

아버지들은 대부분 말이 없는 편이다. 아이들 또한 표현하지 않는 것에 대해서는 이해하기 힘들어한다. 표현해주지 않아도 알 것이라는 믿음은 아버지만의 믿음이다. 적극적으로 표현하고 대화하려고 노력해야 한다. 자신이 얼마나 아이들을 사랑하는지를 말과 행동으로 보여주고, 아이들이 맞이할 세상에 대해 긍정적인 이야기를 해주어야 한다. 수레바퀴의 한 축은 다른 한 축과 똑같은 무게를 지탱하고 있다는 것을 기억해야 한다. 아버지의 존재감을 느끼고 자란 아이들은 훨씬 안정적이고 자신감 있는 인생을 살아간다.

아이를 기다리는
예비 부모들에게

결혼을 결심한 남녀라면 부부의 역할에 대해 많은 생각과 의견을 교환하며 여러 역할, 부모의 역할까지도 먼저 진지하게 같이 생각해보기를 권한다. 만약 결혼한 뒤라면 아이를 낳기 전에 부부의 가치관을 재검토하고 역할 분담 등에 관하여 의논하는 것이 바람직하다.

서로 수레바퀴의 두 축으로 어떻게 아이를 기를 것인지 구체적인 밑그림을 그려야 한다. 이미 첫아이를 낳고 둘째나 셋째를 낳을 부모도 그 시기를 놓쳤다고 낙담할 필요는 없다. 이제부터라도 한 인간으로서의 삶, 부부의 역할, 부모의 역할에 대해 자각해야 한다. 그런 가정의 틀을 만들어놓고 아이들을 생각해야 한다. 그래야 아이들에게 일관되고 떳떳한 모습을 보일 수 있고, 그런 모습 자체가 아이에겐 좋은 교육이 된다.

자신이 어떤 부모가 되고 싶은지, 어떤 부모인지 진지하게 생각해볼 필요가 있다. 그것이 자녀 교육의 첫걸음이다.

부모가 되기 전에 부모 되는 법부터 알아야 한다는 말이 있다. 그만큼 부모 되는 일이 쉽지 않다는 뜻이다. 부모가 되면 생활이 급격하게 변한다. 알아야 할 것도 많고 해야 될 것도 많다. 그러한 변화 속에서 부모가 중심을 찾지 못하면 아이는 제대로 자랄 수 없다. 부모들이 원칙도 서지 않은 혼란스러운 교육으로 아이들을 혼동시키며 망칠 수도 있다.

아이를 키우는 데 정답은 없다. 상황에 따라 다르고, 아이에 따라 자녀를 키우는 방식도 조절이 필요하다. 그렇기에 더욱 부모라면 자신만의 가치관을 확립하고 큰 교육 원칙을 세워야 한다. 그것만 확실하면 어떤 일에도 흔들리지 않게 되고 아이도 안정된 상황에서 자라게 된다.

그냥 막연히 공부를 잘하면 좋겠다는 마음이 자녀 교육의 목적이 될 수는 없다. 공부면 공부, 예술이면 예술, 운동이면 운동을 왜 해야 하는지, 어떠한 사람이 되어야 하는지 등 아이에 대한 큰 그림부터 그려보아야 한다. 그것이 멘토로서 부모가 해야 할 일이다. 아이가 적성을 찾아 자신의 길을 찾은 뒤에는 부모 자신보다 더 전문적인 사람의 자문을 구하여 도움을 받을 수도 있다. 그러나 그 큰 그림조차 남의 손을 빌려서는 안 된다. 그 그림은 누구보다도 아이를 잘 아는, 그리고 아이가 가장 많이 접촉하며 영향을 주고받는 부모가 그려야 한다. 아이는 바로 여러분이 그토록 소중히 여기는 당신의 아이이기 때문이다.

"내가 잘 몰라서 아이를 망치면 어떻게 하지?"

스스로 지레 겁먹을 필요도 없고 실수할까 걱정하지 않아도 된다. 누구나 날 때부터 부모되기가 어떤 것인지 아는 게 아니다. 시행착오를 거듭할 성의만 있다면 바람직한 부모가 된다. 아이나 부모나 실수로부터 가장 크게 배운다. 잘못과 실수에 대한 공포증에서부터 해방되자.

우리 아이들은 아버지가 말한 "실패를 두려워하지 말라"는 가르침에 따라 계속 시도를 했다. 그리고 언제나 최선을 다했다. 실패에서 배운 교훈을 바탕으로 새로운 시도를 하고 최선을 다했기에 좋은 결과를 얻은 것이다.

아이들이 진로를 스스로 바꾼 것도 어떻게 보면 자신이 실수를 인정하고 반성했기 때문에 재빨리 방향 전환을 할 수 있었던 것이다. 그렇게 바꾼 진로에서도 아이들은 실패를 두려워하지 않고 노력과 도전을 했다. 부모들의 의지만 확실하면 시행착오를 통해 그 안에서 교훈을 얻을 수 있다.

또 하나 당부하고 싶은 것은 아이의 성별에 따른 고정관념을 버리라는 것이다. 아들이건 딸이건 나중에 진정한 리더로 자라기를 바란다면 특정한 성 역할만 하도록 훈련시켜서는 안 된다.

우리 아버지는 내가 딸이라고 해서 아들과 차별하지 않으셨다. 오히려 첫아이로 태어난 나를 맏아들처럼 대우해주셨고, 아들이건 딸이건 각 아이의 능력에 따라 일도 공부도 하게 하셨다.

나 역시 아들과 딸에게 성별에 따라 다른 것을 요구하지 않았다. 필요하면 아들에게도 요리를 가르쳐주었고 딸한테도 못 박는 일을 시켰다. 어느 크리스마스 때는 어느새 대학생이 된 아들들을 위해 바닥이 둥근 중국 프라이팬 '웍'을 준비했고, 쉽게 요리하는 법을 가르치고, 반짇고리를 선물하기도 했다. 물론 이것은 일부러 그런 것이었다.

둘째딸 경은이는 대학 졸업 후, 혼자 큰 트럭에 짐을 싣고 보스턴에서 뉴헤이번까지 스스로 운전해서 집까지 온 적이 있다. 이삿짐 센터에 맡길 때 드는 500달러를 아끼기 위해 스스로 짐을 운반하고 트럭을 운전했다는 것이다. '나는 여자니까 이삿짐을 나를 수 없다'는 생각은 우리 딸들에게는 처음부터 없었다.

막내아들인 정주가 하버드 대학의 글리클럽(Glee Club) 합창단의 부회장으로 있을 때였다. 그때 정주는 무려 100명이나 되는 사람을 이끌고 산속으로 일주일 동안 여행을 가야 했다. 누군가 100명의 메뉴를 짜야만 했다. 식단도 정하고 재료를 구입하고 준비하는 일은 만만치 않았다. 그런데 정주는 거뜬히 해냈다. 정주는 나중에 신기해하면서 이렇게 말했다.

"내가 이 합창단의 부회장이 되었을 때만 해도 이런 일을 하게 되리라고는 생각도 하지 않았어요. 100명이나 되는 사람이 먹을 식단을, 그것도 일주일치나 짜게 될지는 상상도 안 했죠. 아침에 뭘 먹이고 점심에 뭘 먹일지 결정하고, 그 재료를 장 보는 일을 책임질 줄은 몰랐거든요. 나는 부회장이니까 리더로서 음악에 대한 일만 토론하고 결정하면 되는 줄 알았어요. 그런데 100명의 식단을 짜려니까 정말 많은 걸 알아야겠더라고요. 엄마처럼 영양도 생각해야지, 맛도 생각해야지, 비용도 생각해야지, 또 그들의 종교에 따라 가리는 음식(food taboo)도 따져야지 등등……. 처음부터 끝까지 책임져야 하는데, 만약에 요리 같은 걸 전혀 안 해봤다면 큰일 날 뻔했어요. 그런데 내가 나서서 다 하니까 나도 떳떳하고 애들도 날 다르게 보더라고요."

정주는 리더가 되려면 사람이 살면서 해야 되는 것은 다 알아야 할 것 같다고 했다. 경험을 통해 리더의 자질과 리더의 역할에 대한 생각, 그리고 교훈을 터득한 것이었다.

정주의 말대로 100명의 일주일 식단을 짜는 일은 쉬운 일이 아니다.

만일 내가 남자와 여자의 역할이 다르다고 생각하며 남자 아이에게 부엌
살림을 가르치지 않았다면 정주는 아마도 그 일을 포기해야 했을 것이
다. 그러나 다행히도 우리 가족은 대식구였고, 그 가정을 꾸리기 위해 너
나 할 것 없이 일하고 도와야 했다. 그러면서 아이들은 어깨 너머로 살림
에 대해 배운 것도 많았다. 그리고 그런 경험들이 살아가면서 많은 부분
에 쓰인다고 종종 고백했다. 특히 리더로서 부딪히는 일들을 해결할 때
집에서의 경험이 큰 도움이 되었노라고 말한다.

평소에 남녀 차별 없이 일을 시켜야만 리더의 자질을 키울 수 있다. 사
실 리더는 별별 상황, 온갖 사람들을 다 관리해야 한다. 남녀평등에 대한
가치관을 심어주기 위해서만은 아니다. 리더가 같은 성(性)을 가진 사람
만 지휘할 일은 없기 때문이다. 사람은 살면서 온갖 자질구레한 일들을
겪게 되는데, 리더는 그 모든 것에 대한 지식이 있어야 한다.

그러려면 평소부터 예비 지식을 쌓아야 한다. 학교 수업만으로는 부족
하다. 가정에서 자연스럽게 교육이 이루어져야 한다.

가정과 생활 속에서 아이들이 체험할 수 있는 교육이 무엇인지 고민해
야 한다. 남자는 이래야 하고 여자는 이래야 한다는 식으로 성별에 따라
각각의 좁은 역할만 가르칠 것인지, 나중에 리더가 되었을 때 쓸모 있을
일상생활의 요소까지 알려줄지 충분히 고민해서 선택하기 바란다.

아이를 키울 때 고민해야 할 것은 이뿐만이 아니다. 처음부터 아이의
개성을 인정하겠다는 마음가짐을 갖추어야 한다. 아이의 개성을 인정하
지 않으니까 유행하는 것, 남이 좋다고 하는 것은 다 섭렵해야 직성이 풀
리는 극성 부모가 되는 것이다.

우리 둘째아들은 어릴 적 책을 별로 읽지 않았다. 남매가 같이 도서관

에서 책을 빌려와도 동생은 네댓 권씩 읽는데 오히려 형은 두어 권 빌려 놓고 그것마저 잘 안 읽었다. 머리는 제일 좋은 것 같은데도 독서에는 영 취미가 없었다. 말도 못 하고 걷지도 못 하던 갓난아기 때 뜀틀방(플레이 팬) 속에서부터 블록 장난감으로 이런저런 모양을 만들었다 허물었다 하며 오랜 시간 묵묵히 놀기를 즐겼다. 나는 그가 다른 아이에 비해 과학적인 머리가 있다고 생각했다. 장난감을 가지고 노는 그 아이가 다른 아이들처럼 열심히 책을 읽기를 바랐지만 나는 아무 말도 하지 않았다. 솔직히 형과 동생이 비교되기도 했다. 어린 동생은 자기가 빌려온 책을 다 읽고도 시간이 남아서 형이 도서관에서 빌려온 책까지 읽는데, 형은 늘 무언가를 만들며 혼자서 심각하게 연구하는 태세이지 책에는 관심이 별로 없었던 것이다. 그래도 나는 "동생 보기 부끄럽지 않니?"라는 식으로 그를 다그치지 않았다. 그 아이는 그 아이 나름대로 흠뻑 빠져드는 것이 있음을 알았기 때문인지도 모른다. 나는 '아이들마다 좋아하는 게 다르지, 그게 개성이지' 하고 생각했다.

나는 한 아이가 못하는 면보다 잘하는 면을 보려고 노력했다. 그 속에서 개성을 발견한 것이다. 부모는 자기 아이의 개성을 있는 그대로 인정해줄 줄 알아야 한다. 그리고 그 특징을 키울 수 있게 도와야 한다. 부모가 자기 자식의 개성을 인정하지 않으면서 어떻게 남들이 인정해주기를 바라겠는가. 더불어 억지로 다그쳐서 되는 일은 없다는 것도 명심해야 한다. 아이들마다 개성이 다른 만큼 남과 비교해서 절대로 다그치거나 남을 따라 하게 해서는 안 된다. 부모는 별 생각 없이 남과 비교해도 아이는 그 때문에 자부심을 잃게 된다. 누구나 하나쯤은 잘하는 게 있다. 부모는 아이가 잘한다고 칭찬하며 그 특기를 발견해주고 발전시킬 수 있도록 격려하고 도와주어야 한다.

아이가 '이랬으면 좋은데, 저랬으면 좋은데' 하면서 고민한다고 자신의 바람대로 이루어지는 것은 아니다. 그런 생각은 아예 머릿속에서 지워버려라. 아이 자신이 필요하다고 느끼면 알아서 하게 된다.

나 역시 우리 둘째가 조금 책을 더 읽었으면 좋겠다는 생각은 있었지만 그런 말을 입 밖에 낸 적은 없었다. 그는 대학 입학 전에 자기 스스로가 필요성을 느끼고 속독(speed reading) 책을 들고 와서 관련된 코스를 학원에서 밟겠다고까지 했다. 다른 사람들에 비해서 읽는 속도가 너무 느려서 그것을 보완하겠다는 것이었다. 그렇게 스스로 동기 부여가 되자 다른 아이들과 마찬가지로 빠르게 책을 읽고 즐거워할 수 있었다.

부모가 아이를 믿고 기다리다보면 언젠가는 아이도 행동으로 그 기다림에 대답한다.

부모들의 마인드 컨트롤

아이를 키우다보면 여러 가지 감정을 느끼게 된다. 아이 덕분에 한없이 행복해질 때가 있는가 하면, 어떤 때는 아득한 고민에 빠져 답답하기도 하다. 그러나 그 감정을 모두 아이에게 드러내면 아이는 예민해지고 상처를 받는다. 부모는 자기감정을 스스로 조절할 줄 알아야 한다.

한국의 소아신경정신과 의사나 자녀교육 전문가들이 한결같이 하는 말이 있다.

"부모가 자기감정을 조절하지 못해서 문제가 커지는 것입니다."

이성적으로는 아이한테 이렇게 하면 안 되고 어떻게 해줘야 하는지 아는데, 막상 아이를 대하면 그렇게 되지 않는다는 부모들이 많다. 더구나 부모가 아주 바쁘고 몸이 고단할 때는 더욱 화를 내게 된다. 아이한테 좋은 얼굴을 보여야지 마음먹고 방문을 여는데 온 집 안이 상상 못 할 정도로 어지럽혀 있으면 순간 폭발한다. 아이가 성적을 너무 못 받아온 데 실망해서 순간적으로 손찌검까지 하는 엄마들도 있다.

이처럼 감정 조절이 안 되는 데는 사실 다른 원인이 있을 수도 있다. 엄마가 자신의 생활에서 만족할 만한 일이 많으면, 아이들 일 하나하나에 울고 웃지 않을 것이다. 나의 경우도 공부, 연구, 사회생활, 자원 봉사 등으로 자기만족을 느끼고 생활할 때 아이들의 행동에 대해서도 한 발 물러서 객관적으로 바라보게 되었다.

그렇다고 엄마들에게 꼭 직장에 나가서 일하라는 말이 아니다. 다만 자원 봉사나 문화 활동 등 대외적인 활동을 찾아서 하다보면 자신의 삶도 풍성해지고 자아완성에도 도움이 된다. 물론 아이에게도 모범이 되는 길을 찾게 될 것이다.

아이를 가르치는 것이 자녀 교육이라고 생각해서 아이에게 지시할 것만 찾는다면 올바른 자녀 교육이 될 수 없다.

"나는 어떤 부모인가? 어떤 부모가 되고 싶은가? 우리는 서로 권위를 세워주는 부모인가? 부모로서, 배우자로서 역할을 말하기 전에 한 인간으로서 얼마나 자신에 대해 자각하고 있는가? 나는 하나라도 더 알고자 노력하는가?"

이런 질문은 아이를 위한 것이면서 자신의 성장을 위한 질문들이기도 하다. 아이를 낳아 성장시킬 것을 고민하기에 앞서 자신이 부모로서 어떻게 성장할 것인가부터 고민하기 바란다.

언젠가 부모가 될 아이들에게

"여러분은 부모가 되면 아이를 어떻게 키우고 싶습니까?"

지금 아무리 생각하려고 해도 너무 먼 이야기 같아 답하기 힘들 수도 있다. 아직 어린데 부모의 입장을 상상해보라니 무슨 장난 같기도 하고 말이다.

그러나 아직 어린 친구들에게 내가 이런 질문을 던지는 이유는 따로 있다. 바로 여러분 자신을 돌아보는 기회를 주고 싶어서다. 그러니 이제 내가 하는 질문을 잘 생각해보기 바란다.

여러분은 어떤 부모가 되고 싶은가?

아마도 지금 여러분의 머릿속에는 여러분 부모님의 모습이 떠오를 것이다. 자기 경험에 비추어 아이로서 괴롭고 힘들었던 일, 기뻤던 일들에 대해 돌이켜보면 되겠다.

마음을 차분히 한 다음에, 여러분 스스로 어떤 부모가 되고 싶은지 깊이 생각해보자. 아마도 그냥 아이만 바라보고 희생하며 힘들어하는 부모보다는, 자신의 삶을 개척하고 꿈을 이루는 멋진 부모의 모습을 떠올릴 것이다. 그러면서 아이가 필요할 때는 믿음직한 조언자가 되어주는 부모가 되고 싶을 것이다.

이제 다시 눈을 돌려 여러분의 부모님과 여러분의 일상을 떠올려보기 바란다. 혹시 여러분은 처음부터 끝까지 부모님이 도와주지 않았다고, 혹은 맹목적으로 희생하지 않았다고 부모님을 원망한 적은 없는가. 부모님이 나름대로 멋진 삶을 살기 위해서 노력하기보다는 그저 여러분 자신만을 바라보기를 바란 것은 아닌지 생각해봐야 한다.

여러분이 되고 싶은 부모의 모습과 여러분이 부모님께 바라는 모습이 다른 것은 아닌지 곰곰이 생각해보아야 한다. 어쩌면 너무 간섭하는 부모님 때문에 힘들어하는 사람도 있을 수 있다. 그렇다면 그저 싫다 좋다는 느낌에만 매달려 고민할 것이 아니라, 왜 그렇게 부모님이 행동할까 생각해보자. 동양적인 문화에 젖어 사는 부모님만의 사랑 표현은 아닐까. 그러므로 싫다고 무조건 반발하기보다는 부모님의 입장을 헤아리고 한국 문화에 대해 이해해보자.

"엄마가 왜 이러시는지 알지만, 저는 이랬으면 좋겠어요."

계속 대화해야만 부모님은 부모님대로, 여러분은 여러분대로 서로가 원하는 바를 이해하고 문제도 풀 수 있다. 여러분이 부모님께 바라는 점과 여러분이 되고 싶은 부모의 모습 등을 이야기하고, 부모님이 여러분에게 바라는 점을 듣는 것이 중요하다. 대화를 통해 서로 노력한다면 큰 갈등 없이 여러분은 성장할 수 있다.

아마도 이런 말을 들어보았을 것이다.

"인생은 100m 단거리 경기가 아니고 마라톤이다."

지나고 보면 한순간처럼 느껴지기도 하지만 기억을 더듬어보면 인생은 정말 긴 마라톤과 같다는 생각이 든다. 많은 추억들, 많은 경험들, 그때 느꼈던 감정들……. 생각이 꼬리에 꼬리를 문다. 그런 긴 마라톤을 혼자 뛴다면 너무 외로워서 지치기 쉽다. 여러분에겐 기나긴 마라톤을 함께 뛰어줄 사람들이 필요하다. 그 사람들 중에 인내심을 가지고 가장 잘 이해해줄 수 있는 것은 가족들뿐이다.

여러분은 부모님을 포함한 가족을 소중하게 여겨야 한다. 가족이 중심이 된다면 남에 대한 배려도 자연스럽게 알게 된다. 사람들을 이해하는 능력도 커지게 된다. 결국 여러분이 진정한 리더로서 성공하는 데 필요한 기본적 자질을 많이 얻게 되는 것이다.

그러니 엘리트가 되기 위해서라도 자신의 가정을 소중히 여겨야 한다. 이제는 공부만 잘한다고 되는 세상이 아니다.

여러분의 자식이 꿈이 있는 아이로 자라나게 하고 싶다면, 여러분부터 꿈을 키우는 법을 터득해야 한다. 기왕이면 세계를 무대로 한 삶을 꿈꾸자.

옆의 아이보다 조금 더 잘하고, 동네 혹은 그 도시에서 어느 수준이 되겠다는 식으로 경쟁에서 이기는 게 꿈이 되어서는 안 된다. 좀 추상적으로 느껴질 수도 있지만 커다란 가치에 대해서 먼저 고민해야 한다. 나는 어떤 사람이 되었으면 좋겠다는 꿈을 가지려 노력해야 한다. 그런 큰 틀을 정하고 나면 직업과 그에 맞는 공부를 선택하는 방법도 자연스레 떠오르게 되어 있다.

진로 선택도 그냥 어떤 대학에 가느냐, 어떤 직업을 갖느냐의 문제가 아니다. 결국 어떤 길을 가서 어떤 사람으로 자아실현을 하겠느냐는 선택이어야 한다. 앞에서 우리 6남매의 이야기를 했지만, 그 큰 그림을 먼저 그리면 남다른 목표의식과 열정 때문에 남이 뭐라든 자신의 미래를 스스로 정할 수 있게 된다.

큰 그림을 그려야 한다. 세계를 무대로 국제적인 생각을 해야 한다. 사회는 급속도로 바뀌기 때문에 중요하게 생각되었던 분야가 어느 날 별효용 가치가 없게 되기도 한다. 그렇기 때문에 자신의 진로를 선택했다고 해서 다른 것에 눈과 귀를 닫아놓아서는 안 된다. 어느 한 시기 유행에 따라 한 가지만 열심히 하면 그 분야에서 보다 빨리 전문가로 인정받을 수는 있다. 하지만 어떤 분야에서나 리더가 되고 싶다면 그 밖의 것들에도 계속 관심을 기울여야 한다.

세계적인 500대 기업 총수들을 인터뷰한 기사를 본 적이 있다. 그 회사들은 인재를 뽑을 때 자기 전공뿐만 아니라 음악이나 미술 등 여러 분야에 취미와 경험을 가진 사람을 찾는다고 한다. 회사 중역들 중에는 한 분야에 탁월한 사람들보다 인문 사회를 폭넓게 배운 사람이 많다는 것도 생각해볼 만하다.

이것은 무슨 의미일까? 결국 사회가 원하는 것은 리더십을 갖고 있는 인재다. 그런데 그 리더는 현재뿐만 아니라 빠르게 변하는 미래 사회에서도 적응할 수 있어야 한다. 무엇이 어떻게 될지 모르니까 거의 모든 분야에 대해서 감각이 있어야 하는 것이다. 한 분야에만 전문적인 사람은 더 우수한 지식과 기술을 가진 사람이 나타나면 언제든 자리바꿈이 될 수 있다. 하지만 모든 것에 두루 적용될 수 있는 재능을 가진 사람은 리더로서 높은 평가를 받는다.

모든 것을 극단적으로 생각하지 말기를 바란다. 지나친 것은 부족함만 못하다지 않는가. 우리 전통 가치인 중용의 길을 기억하자. 물론 특기가 있으면 그것을 훈련하는 것은 좋다. 그것이 자신의 삶을 열어줄 수 있기 때문이다. 그러나 그것은 어디까지나 기본일 뿐이다. 그것에 만족하고 다른 것을 나 몰라라 한다면 더 중요한 것을 놓칠 수 있다.

국제화를 맞이하는 법

지금은 한 국가에 머물기보다 국제적인 것에 더 많은 고민을 기울여야 할 때다.

법 쪽만 보더라도 그렇다. 미국은 약 50년 전만 해도 각 주정부의 법에 치중했다. 그러다 연방정부의 법으로 바뀌었지만 현재는 그 중심이 국제법 쪽으로 옮겨가고 있다. 예를 들어 대법원 판결 수가 국제관계의 판례로 비중이 바뀌고 있는 것이다.

다른 분야에서도 하루가 다르게 국제화되는 것을 심심치 않게 볼 수 있다. 예를 들어 기후 변화(지구 온난화), 새의 전염병(조류 독감) 등 세계 한 구석에서 일어난 현상이 순식간에 세계로 퍼지는 것을 알고 있다. 또 이제는 여행, 이민이 늘어 자신의 고향에서 사는 것보다 전혀 다른 사회 환경에서 사는 사람의 수도 부쩍 많아졌다. 그 중에 한국 사람이 이제는 세계 170여 개국에서 사는 세계 4위의 '디아스포라(diaspora)', 즉 이산인(離散人)이다. 그런 사회에서 살아가려면 우리는 바뀐 것에 적응하는 것도 중요하지만 다른 한편으론 자신의 적성에 맞고 열정을 다할 수 있는 것을 찾아야 한다. 우리 중심이 있어야 유연성도 안정적으로 발휘할 수 있다.

영어를 더 잘하게 되는 것만으로 국제적인 감각을 갖추었다고 착각해서는 안 된다. 생각 자체를 국제적인 틀로 바꾸어야 한다.

가능하다면 여행을 통해 세계의 변화를 직접 눈으로 보고 배우는 것이 좋다. 아니면 영어 이외의 다른 언어를 접해보고 한국인의 긍지를 넘어 세계인이 될 준비를 해야 한다. 더불어 자기 나라와 지역에 대한 깊이 있는 연구도 병행해야 한다. 일종의 비교문화 연구를 통해서 우리 자신의 특별함을 찾아내고 그 안에서 한국만의 위대함과 장점을 찾아낸 뒤 이를 세계화된 문화와 접목시켜야 한다.

국제화된 마인드를 키우는 것은 자신에 대해 정확히 아는 것에서부터 시작된다고 할 수 있다. 남이 나에게 "너는 어떤 사람이냐"고 물었을 때 제대로 대답하지 못했다고 해보자. 그때 느끼는 감정은 부끄러움을 넘어 좌절감이 될 수도 있다. 국제무대에 나가면 개인적인 '나' 뿐만 아니라 역사적인 한국인으로서의 '나', 동양인으로서의 '나'에 대한 존재까지 중요해진다. 이때 나에 대한 정확한 이해 없이 조국과 가치관에 대해 자신 있게 이야기할 수 있겠는가.

우리 아이들의 경우 이름을 쓰는 방법에서 자긍심을 높일 기회를 찾기도 한다.

우리 아이들은 미국에서 태어났으나 자신들의 공식 직함에 꼭 한국 이름과 미국 이름을 함께 쓴다. 예를 들어 그냥 '해럴드 고'라고만 쓰면 미국인으로 오해할 수 있으니 일부러 '해럴드 홍주 고'라고 쓰는 것이다. 그렇게 자기 정체성을 표현하고 있다. 그리고 그 정체성에 맞게 한국과 미국이 함께 발전하기를 바라는 마음으로 자신의 임무에 열심이다. 다른 소수민족에 대한 배려도 잊지 않는다.

말과 행동에 처음부터 끝까지 정체성을 확고히 하고 자긍심을 담으니, 미국 사람들도 그런 사람들을 신뢰하고 기꺼이 진정한 리더로서 존중하는 것이다.

정체성에 대한 고민과 더불어 기본적인 삶의 태도에 대해서도 고민해야 한다. 이미 한국에서는 놀랄 만한 재능을 보여준 학생들이 엄청나게 많이 유학 오지만, 널리 봉사하겠다는 꿈이나 많은 사람들를 배려하는 등 리더 역할은 못 할 때가 많다.

이것은 단순히 언어 문제에서 비롯된 것이 아니라 삶에 대한 기본적 태도 때문이다. 어떻게든 경쟁에서 이기겠다는 마음 하나로 사람들을 거짓으로 대하고 정직함도 포기하는데 어느 누가 인정해주겠는가. 운이 좋아 대학을 졸업한다고 해도 존경받는 사람으로 성공하기는 어렵다.

재능과 지식이 우수한데도 원만한 대인관계를 갖지 못해 자신의 능력을 충분히 펴지 못하는 경우도 많다. 이미 2장에서 진정한 리더가 되기 위한 몇 가지 요건들에 대해 언급했다. 부디 많은 참고가 되었으면 한다.

여러분은 무한한 가능성을 가진 한민족 가운데 한 사람이다. 지금은 꿈을 줄일 때가 아니다. 스스로 많은 꿈을 꾸고 또 그 꿈을 이루기 위해 최선을 다해야 할 때다. 그래서 언젠가 여러분의 아이가 태어났을 때 멋진 부모로서 본보기가 될 수 있기를 바란다. 여러분의 아이들 또한 세계를 무대로 한 진정한 리더가 되리라 믿으며 희망을 가지자.

우리에겐 리더를 키워낼 저력이 있다

21세기 초반을 기점으로 세계는 세계화의 세 번째 단계에 진입했다. 세계는 자본 교류, 정보 교류, 노동력 교환, 인터넷, 이민, 무역 등으로 말미암아 모든 사람들과 바로 옆집에 사는 것처럼 날로 가까워지고 있다.

전문가들은 세 번째 단계에 들어선 세계화는 서양에서부터 시작된 첫 번째와 두 번째 세계화와는 달리 인도, 일본, 중국, 중동 등 비서구 사회 출신의 개인으로부터 시작되었다고 말한다. 지난 세계화의 주역은 서구의 다국적 회사들이었지만 이제는 한 개인, 그것도 비서구인이 세계화의 주동력이라는 것이다.

다시 말해 변화가 이전보다 더욱 빠른 속도로 이루어지며, 그 속에서 개인의 삶과 사회의 안정을 유지하기 위해 우리가 맞서 헤쳐나가야 할 도전이 점점 많아지고 있음을 뜻한다. 바꾸어 말하면 이러한 도전이 커진다는 것은 한국인들이 세계에서 지도자가 될 가능성이 점점 높아지고 있다는 이야기도 된다.

이 책에서 나는 우선적으로 교육 목적과 그에 따르는 가치관이 뚜렷해야 한다고 강조했다. 실제로 자녀 교육은 아이를 키우는 많은 이들의 기본 관심사이자 일생을 두고 가치를 재검토하며 부여해야 하는 일이기도 하다.

그러나 아쉽게도 모든 자녀들을 성공적으로 기르는 데 필요한 정답은 없다. 교육은 과학이 아니라 예술이다. 그러므로 각 가정에서는 그 자녀와 가족의 성품과 형편에 맞는 자신들만의 특별한 방법을 찾아야 한다.

다시 한 번 강조하지만, 어떤 교육법이 좋은가를 말하기에 앞서 교육의 목표를 먼저 생각해야 한다. 우리 부모들은 항상 다음과 같은 질문을 자기 스스로는 물론 자녀들에게 묻고, 일생에 거쳐 그 해답을 찾으려 노력해야겠다.

"우리의 자녀들이 어떤 사람이 되길 기대하는가?"

"진정한 리더는 어떤 사람인가?"

"우리의 태도, 행동이 우리의 교육 가치나 목표와 일치하는가?"

이와 더불어 말보다 행동으로 하는 교육이 훨씬 강력하다는 사실을 다시 한 번 새겨두자.

누구도 정답을 알고 있지 않다

아이를 제대로 기르는 데는 누구보다 어머니가 중요하다는 게 전통적인 인식이다. 그러나 나는 어머니와 아버지 모두 똑같이 중요하다는 것을 강조하고 싶다. 어머니와 아버지가 서로 협력하지 않고는 자녀 교육에서 균형을 이루기란 까마득한 일이다.

점점 세계화되는 사회에서 아이를 진정한 지도자로 키우려면 우선 부모가 한 팀이 되어 일해야 한다. 또한 부모들은 자녀들의 성장에 맞춰 그들에게 영향을 미칠 수 있는 새로운 지식을 배우려고 노력해야 한다. 그렇지 않으면 부모는 제대로 된 역할 모델이 될 수 없다.

점점 다문화 사회가 되고 세계화 역시 가속화되는 이때에 자녀가 묻는 질문에 부모가 모두 정답을 제시하기는 어렵다. 아이의 질문에 답해주려면 부모 역시 아이와 함께 공부한다고 생각해야 한다.

사실 인터넷 등 첨단 기술을 받아들이고 이를 활용하는 능력은 젊은 세대가 부모 세대보다 월등히 뛰어나다. 내가 이메일을 배우게 된 것도 1996년 일본에 교환 교수로 갔을 때 아들과 딸, 손주들과 계속 대화하기 위해서였다.

부모의 가장 중요한 임무가 자녀들의 역할 모델이 되는 것이라고 할 때, 부모들이 끊임없이 배우려 하고 말보다 행동으로 실천하는 모습을 보이는 것이 아이들의 인성과 능력을 형성하는 데 무엇보다 중요하다.

그러기 위해서 부모는 일단 아이를 독립된 인격체로 존중하는 마음을 길러야 한다. 또한 아이들을 가르치려 하는 만큼 부모 자신도 배우려고 애쓰는 모습을 보여야 한다.

이것이 말처럼 쉽지 않을 수도 있다. 하지만 그 누구도 자녀 교육의 정답을 가지고 있지는 않으므로 우리는 늘 누군가에게 무엇이든 배우려는 마음가짐을 가져야 한다. 나 또한 정답을 알고 있지 않다. 나는 그저 배운 사람다운 현명한 어머니의 역할을 찾으려 노력한 사람 가운데 하나일 뿐이다.

한민족에겐 이미 지도자의 덕목이 많다

나의 경험은 미국에서 동양인, 특히 한국인을 교육시킨 데 국한된 것이다. 하지만 이 모든 내용이 급속히 세계화되는 오늘날엔 한국을 비롯한 세계 어디에도 통용되리라 본다.

다문화 사회로 가는 오늘날, 아이들을 세계 어디에서고 지도자가 될수 있도록 하려면 우선 한국의 국가 이미지 자체를 높여야 한다. 내 아이를 제대로 키우기 위해서는 내 아이에게만 관심을 기울여서는 안 되는 세상이 온 것이다.

우리 아이들이 한반도만이 아닌 세계 곳곳에서 활약하는 모습을 보려면 우리는 한국과 한민족 전체의 역량과 이미지 개선을 위해 노력해야 한다. 이 말은 이제는 한 가정의 어머니와 아버지 개인의 노력만으론 아이를 진정한 리더로 키우기 힘들다는 뜻이기도 하다. 나는 문화와 사회의 힘은 아주 막강하여, 한 어머니나 한 가족의 독자적인 힘만으론 자녀를 세계에 통하는 인재로 키우기는 힘들다는 것을 그간의 경험으로 뼈저리게 느꼈다. 이것이 바로 우리 부부가 동암문화연구소를 설립한 이유이자, 내가 이 연구소를 50여 년 간 자원봉사로 이끌고 온 이유이기도 하다. 이 책에서 내내 강조했지만 나는 동암문화연구소 활동을 통해 21세기가 요구하는 진정한 리더십 요건들을 정리할 수 있었다.

나는 우리 한민족이 이미 21세기에 필요한 덕목을 우리 문화유산 속에 가지고 있다고 믿는다. 다문화 사회 속에서 진정한 지도자로 만드는 진정한 리더십의 7가지 요건 중 특히 다음 4가지는 한민족의 부모이기에, 또 한민족의 자녀이기에 다른 나라보다 쉽게 갖출 수 있는 것들이다.

첫째, 우리 민족은 역사적으로 많은 침략과 현재의 분단 상황 속에서도 정체성을 지켜오는 저력을 보여주었다. 세계 곳곳으로 넓게 흩어져 여러 문화 안에서도 번성한 것이 바로 한민족이다. 이처럼 세계 어느 곳에 가도 그 문화를 쉽게 수용하고 포용할 뿐만 아니라 그 사회에 새롭게 공헌해온 모습에서 우리의 문화적 역량(Cultural Competence)을 확인할 수 있다.

둘째, 한국은 전통적으로 유교적 가치관을 갖고 있다. 그리고 그 중 자신이 맡은 역할과 사회 구성원으로서 주어진 책임을 완수하는 것을 제1의 가치라 강조해왔다. 사회에 봉사하고, 부모에게 효도하며, 사회 구성원으로서 활동하는 것을 소중히 하는 우리 민족은 자기완성과 책임 완수를 통해 지도자가 갖춰야 하는 최고의 덕목에 쉽게 다가갈 수 있다.

셋째, 덕승재(德勝才)의 덕목이다. 동양의 교육철학에선 공부하는 목적과 자신이 이루고자 하는 바를 도덕적 가치에 결부시켰다. 요즘처럼 교육 수준이 올라가고 교육 방법과 수준을 부모와 아이 스스로가 고려해야 하는 시대에서는 동양의 가치관에서 강조하는 삶의 목적을 확실히 아는 것이 중요하다. 도덕적 가치가 확실할 때 비로소 그의 재주는 나도 남도 그리고 사회 모두에게도 건설적인 결과를 가져오기 때문이다.

넷째, 통합하는 창조력이다. 지정학상으로 보아도 다른 강대국들(중국, 러시아, 몽골, 일본) 사이에서도 우리 한민족은 용케 반만년 동안 번성해왔다. 흔히 지정학적이며 역사적인 사실로 우리를 '한(恨)'이 많은 사람들이라고 말하는 이들이 있다. 하지만 나는 오히려 한민족은 '한(恨) 풀이'를 잘하는 민족이라 주장한다.

한민족은 사회 구조에서 파생되는 모든 모순들을 미술과 음악을 사용해 한을 풀어 승화시켰다. 가면극, 판소리, 상속 제도, 계급 제도, 민화, 시조, 한글 구조에서 볼 수 있듯이 늘 음과 양을 조화시키며 통합하는 풍속과 사회 제도를 갖고 있다는 것이 바로 우리 문화의 힘이다. 바로 이 통합하는 창조력이 지도자에게 요구되는 점이다.

이렇듯 우리는 역사적으로 습득하고 몸으로 체험한 지도자의 기본 요건을 풍부하게 갖추고 있는 민족이다. 이제는 우리 자신에 대해 돌아보고 옛 가르침을 다시 찾기만 하면 될 것이다.

이제 우리 민족이 세계를 무대로 세계화의 주역이 되는 길이 열려 있다. 한국 어머니들은 세계 그 어떤 부모들보다 더 우리의 아이들을 진정한 그리고 남다른 지도자로 키우는 방법과 가르침을 많이 가지고 있다.

이처럼 좋은 때를 맞이한 것을 깨닫고 우리 스스로 지도자의 덕목을 우리 문화유산 속에 많이 갖고 있다는 자부심을 품자. 꿈과 희망을 가지고 열심히 노력하며 기도하면 된다.

급속히 변화하는 새 시대에 자녀 교육은 도전도 많지만 보답은 그보다 더 크다는 사실을 잊지 말자.

사랑하는 동포들이여, 희망과 꿈을 가지고 더 밝고 행복한 날이 오리라는 것을 믿고 기다리자.

섬기는 부모가
자녀를 큰사람으로 키운다

초판 1쇄 발행 | 2006년 4월 30일
초판 6쇄 발행 | 2006년 6월 20일

지은이 | 전혜성
발행인 | 김원태
편집인 | 이성구
편집장 | 송미진
편집 진행 | 이혜진
북 에디팅 | 조정현
교정 · 교열 | 김미희
북 디자인 | Design co∗KKIRI 02-735-1206
저자 사진 | 최상규
일러스트레이션 | 김상민

펴낸 곳 | 랜덤하우스중앙(주)
주소 | 서울특별시 중구 정동 34-5 배재빌딩 B동 6층
편집문의 | 02-3705-0145
구입문의 | 02-3705-0108
홈페이지 | www.randombooks.co.kr

등록 | 2004년 1월 15일 제2-3726호
값 9,800원
ISBN 89-5986-601-6(23590)

책속의 작은 책방

아이는 99% 엄마의 노력으로 완성된다-자녀교육 마인드편

장병혜 지음 | 253쪽 | 9,000원

저자는 아이들을 잘 기른 비결을 묻는 사람들에게 "문제의 원인을 아이에게서 찾지 말고 당신 자신에게서 찾아라"라고 조언한다. 아이를 기르면서 부모들 스스로 흔들리지 않는 주관적인 틀을 갖추고, 부모가 먼저 반듯하게 생활하는 모습을 보여준다면 아이도 부모를 따라 반듯한 아이로 성장할 것이라고 이야기 한다.

아이는 99% 엄마의 노력으로 완성된다2-가정학습 실천편

장병혜 지음 | 244쪽 | 9,800원

아이의 인생은 길기 때문에, 아이의 미래를 생각하는 부모라면 아이의 인생을 백 년이라고 보고, 그에 따른 청사진을 그려야 한다. 저자는 이 책을 통해 무한 경쟁 시대에서 살아남기 위해 아직까지도 유효기간 20년짜리 교육에 연연해하고 있는 학부모들을 향해 질타를 던진다. 또한 21세기를 살아가는 아이에게 필요한 9가지 기본력에 대해 설명한다.

성공하는 아이에게는 미래형 커리큘럼이 있다

이지성 지음 | 304쪽 | 10,000원

현직 초등학교 교사가 독서, 학습, 인성, 경제 등 네 가지 영역이 결합된 전인 교육 프로그램을 개발하고 이를 소개한 책. 성적 상위 1% 초특급 공부 수재들의 생활패턴과 의식의 공통점을 찾아내고 이들이 부모와 함께 진행하는 특별한 교육 프로그램 등을 심층 관찰한 끝에 '미래형 커리큘럼'의 틀을 마련했다.

뇌 성장 동화

조석희 지음 | 264 쪽 | 15,000원

아기의 뇌는 20퍼센트의 능력만 갖고 태어나 몸이 자라면서 같이 성장한다. 이 책은 학습능력과 성격 형성의 토대가 완성되는 결정적인 0~3세 시기, 두뇌 발달을 도와주는 적절한 두뇌 자극법을 알려준다. 전체 뇌가 형성되는 36주간의 단계에 맞춰 총 6부로 나뉘어 각 시기에 맞춘 지침과 두뇌 성장 포인트를 정리했다.

뇌 태교 동화

김창규 지음 | 240쪽 | 15,000원

산부인과 전문의가 자신의 임상 경험을 바탕으로 임신 40주간 태아의 성장단계에 맞춰 태교 동화를 집필했다. 이 책은 뇌 태교의 중요성을 강조하면서 하루 10분 남편과 아내가 함께 '뇌 태교 동화'를 읽으면서 최고의 태내 환경을 만들라고 제안한다. 크게 4부로 나뉘어 저자가 직접 창작한 동화, 아름다운 시를 임신 40주 특성에 맞게 구성했다.

모든 아이는 영재로 태어난다

송수진 지음 | 240쪽 | 9,800원

여섯 살 때까지 늦되었던 유근이를 영재로 키운 대한민국 보통 아빠의 가정학습 프로그램. 바보로 태어나지 않으면 모든 아이는 적어도 1%의 영재성은 안고 태어난다. 유근이도 1%의 영재성은 있다고 믿었고 99%는 부모가 노력하면 채울 수 있다는 희망을 가지고 아이 교육에 전념했다. 이 책은 송유근을 영재로 만든 아버지의 특별한 육아법을 담고 있다.

머리 좋은 아이는 99% 엄마의 노력으로 완성된다

헨슈 다카오 지음 | 정연숙 옮김 | 184쪽 | 9,800원

일본 최고의 뇌의학 박사, 헨슈 다카오의 두뇌 자극 교육법! 과학적으로 검증된 최신 뇌 연구 결과를 바탕으로 생생한 뇌 계발법을 소개한다. 저자는 아이의 두뇌를 계발하기 위해서는 먼저 뇌의 '임계기'와 '가소성'이란 다소 생소하지만 아주 중요한 개념을 이해할 것을 주장한다.

티치미 공부법

한석원, 최인호, 한석만, 김찬휘 지음 | 246쪽 | 9,000원

사교육의 메카로 불리는 강남구 대치동에서 10년 동안 최고의 자리를 고수해온 명강사들의 티치미 공부법. 대한민국 학생들의 '공부멘토' 이자 '수능코치'가 되겠다는 굳은 각오로, 대치동 최상위권 아이들에게만 가르치던 핵심강의를 무료로 공개한다. 자신들의 공부비법이 평범한 아이들도 최상위권으로 끌어올릴 수 있다고 이 책은 자신한다.

티치미 수학의 힘

한석원, 강필 지음 | 264쪽 | 9,800원

'대치동 수학 지존' 한석원, 강필 선생님이 짚어주는 수학의 핵심 원리와 대표 문제 100제! 내신잡고 논술잡는 3단계 수학의 완성! 수학을 어려워만 하는 학생들에게 수학의 즐거움, 수학적으로 생각하는 법을 가르쳐준다. 정확한 개념정립과 필수 문제가 절묘하게 엮인 확실한 지침서이다.

짧은 시간에 핵심을 뽑아내는 초스피드 학습법

노구치 유키오 지음 | 김용운 옮김 | 190쪽 | 8,800원

많은 시간을 들여 노력해도 성과가 오르지 않는 사람들을 위한 책. '개미의 눈'으로 부분을 파악하기보다 '새의 눈'으로 전체를 파악할 수 있도록 도와준다. 교과서를 통째로 암기하는 '통암기법', 외운 것을 쉽게 기억해내는 '공통속성법', 한가운데서부터 시작하는 '낙하산공부법' 등을 소개한다.

승리하는 아이로 키우려면 지는 법부터 가르쳐라

박영숙 지음 | 236쪽 | 8,000원

수양부모운동과 함께 '지는 아이로 키우기' 운동을 벌여온 저자가 전세계 80여 나라를 여행하며 배운 아이 교육법을 이야기한다. 패배를 딛고 일어서는 법, 상대방을 설득하는 법, 양보하고 배려하는 법, 더불어 사는 법인 '지는 법'을 보여줌으로써, 다른 아이들과 어울려 살아가는 방법을 깨닫게 해주는 글로벌 시대 인재만들기에 대해 들려준다.

13세까지의 건강이 아이의 머리를 지배한다

여에스더 지음 | 260쪽 | 9,500원

모가반드시 알고 챙겨야할 영양과 성장이야기.
성장기 아이의 건강이 왜 중요한지, 아이의 체력을 키워 주기 위해 부모들은 어떤 노력을
기울여야 하는지 소개하고 있다. 내 아이에게 어떻게 먹여야 하는지, 어떻게 운동시켜야
하는지, 또 어떻게 재워야 하는지에 대한 세부적인 정보를 담고 있다.

아이에게 필요한 칭찬과 꾸중은 따로 있다

케이트 켈리 지음 | 임승호 옮김 | 228쪽 | 9,000원

울고 떼쓰며 칭얼대기 일쑤인 아이를 좋은 습관을 가진, 올바른 아이로 키우기 위한 일상
의 노하우들을 담고 있다. 미국의 저명한 교육 컨설턴트이자 베스트셀러 작가인 저자 케
이트 켈리는 칭찬과 꾸중의 적절한 타이밍과 방법을 알아야 아이에게 올바른 행동과 좋은
습관을 길러줄 수 있다고 강조한다.

우리 아이가 왜 이럴까요?

얀 우베 로게 지음 | 김정민 옮김 | 228 쪽 | 9,500원

혼내지 않고도 아이가 올바르게 행동하도록 만드는 비결!
이 책의 저자는 세계적인 가족문제 상담가로 수십년간 지속해온 상담과 연구를 통해 모든
아이가 겪는 반항시기가 아이의 인생에서 아주 중요한 성장과정이라고 주장한다. 이에 더
해 반항하지 않는 아이가 오히려 위험하다고 이야기한다.

똑소리나게 생각하고 당당하게 표현하는 아이

JAM 네트워크 지음 | 오근영 옮김 | 8,000원

부모들은 어려서부터 아이의 자기 표현력을 키워주도록 의식적인 노력을 기울여야한다.
상대가 거북하지 않게끔 자기 의사를 전하는 방법, 자신의 마음을 표현하는 제대로 된 커
뮤니케이션방법 등, 내 아이가 살아갈 세상에서 중요한 경쟁력인 자기 표현법을 7가지 키
워드로 제시한다.

랜덤하우스중앙
RANDOM HOUSE JOONGANG